D1477383

JUÁREZ EN LA SOMBRA

Judith Torrea

JUÁREZ EN LA SOMBRA

Crónicas de una ciudad que se resiste a morir

2011, Santillana Ediciones Generales, S. L.
Torrelaguna, 60. 28043 Madrid
Teléfono 91 744 90 60
Telefax 91 744 90 93
www.librosaguilar.com
aguilar@santillana.es

Diseño de cubierta: Opal/Works
Fotografías de cubierta, contracubierta e interiores: Judith Torrea

Primera edición: abril de 2011

ISBN: 978-84-03-10107-4
Depósito legal: M-8.000-2011
Impreso en España por Lável Industria Gráfica, S. A. (Humanes, Madrid)
Printed in Spain

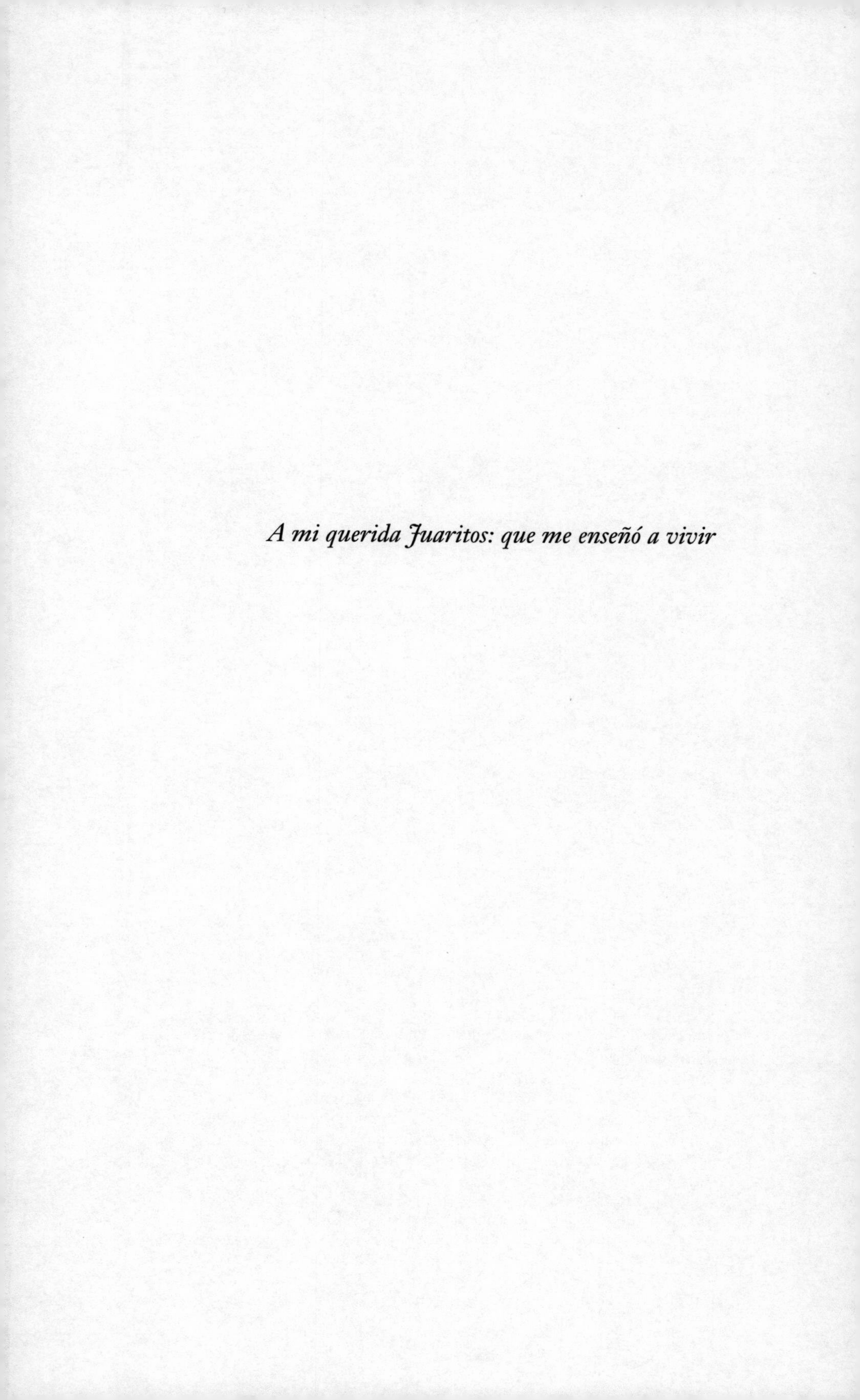

A mi querida Juaritos: que me enseñó a vivir

«Por las noches
las ráfagas de AK-47
se empotran en mis sueños
y espantan a mis musas.
No es justo».

Miguel Ángel Chávez Díaz de León
Pesadillas automáticas

Índice

La mujer con la esperanza entre los dientes

Lo primero que escuché de Judith Torrea fue un grito. Acababa de ganar el premio Ortega y Gassett de Periodismo y a mí me había tocado darle la noticia. Ella gritó de júbilo. Venía de otros gritos, venía de callar la esperanza, de gritarla, de comunicarla en medio de la sangre y del dolor. A ella habría que atribuirle esa hermosa frase que una vez escribió Ernest Hemingway para que la divulgara luego, con tanto éxito, Alfredo Bryce Echenique: «Conoció la angustia y el dolor pero nunca estuvo triste una mañana».

A aquel grito de júbilo le han sucedido otros, de alarma, de dolor; esta mujer que, como dice John Berger que hay que estar en la vida, anda «con la esperanza entre los dientes», está honrosamente viva, lucha por un pueblo, Ciudad Juárez, y daría su vida, la está dando, por ese su cálido, inolvidable, objeto del deseo.

No es lo mismo querer a Ciudad Juárez, me parece, que querer cualquier otro sitio del mundo. Cuando conocí ya en persona a Judith Torrea fue algo antes de que se entregaran los premios Ortega y Gasset. Como ella misma me anunció, es muchísimo más alta que lo que se puede abarcar con la vista, al menos desde mi propia estatura; tiene los ojos grandes, la boca es tan alargada como su risa y la usa toda, para gritar, para reír, para hablar con pasión de todo lo que pasa por su mente y halla espacio en el pelotón incesante de ideas, sugerencias, imprecaciones indignadas o expresiones de ternura sobre aquel objeto de deseo, la ciudad de sus amores. Ciudad Juárez.

Es navarra, lo dice enseguida, como si temiera que el acento disminuya la atención que presta a Ciudad Juárez, cuya capital sentimental está en su corazón, viajando. En la ceremonia de los premios me presentó a su madre, a sus amigos, a quienes ha abducido con la expresión de ese amor mexicano que es mucho más que un amor, es una identificación a veces tortuosa, a veces imprescindible para entender su vida. Ciudad Juárez es acaso el enclave más peligroso del mundo; en su pueblo navarro estaría mejor, más tranquila. Pero su vida no son ni la tranquilidad ni la cobardía: lo que ella quiere es sentirse allí, ese peligro latente es el alimento espiritual de sus deseos: ella quiere colaborar, poner sus hombros altísimos y poderosos, su mirada incisiva e incesante en favor de la aventura arriesgada de cambiar la suerte de los habitantes de su querida Juaritos.

Todos esos propósitos solidarios nacen de una conversión. Ella vivía en Nueva York, asistía al *glamour* impresionante y postizo de Manhattan y de pronto tuvo peores noticias del infierno. Ciudad Juárez estaba en llamas, lo estaba hacía rato, y ella estaba allí, regalándole el tiempo al *glamour*. Así que corrió al reencuentro con ese martirio del que se había enamorado hace más de una década, como uno se enamora de una persona o de una causa, con todos sus defectos, e incluso, a veces, a causa de los defectos.

Para luchar a favor de Juaritos ella tiene la energía del periodismo. El periodismo no es un bisturí, aun siéndolo, ni un instrumento; el periodismo es la esencia de una palabra que, arrojada al mundo en el momento adecuado, a partir de la información o del testimonio preciso puede cambiar la fisonomía de la vida. Ese bisturí o ese instrumento es la mayor riqueza de Judith Torrea, con sus arrebatos de amor o de tristeza; su personalidad va como un guante al trabajo que decidió asumir, porque la realidad de la ciudad que es el objeto de sus deseos y de su trabajo requiere ambas actitudes, valentía para amar, ternura para padecer con otros, para compadecer, para vivir el drama ajeno siendo ya tuyo.

Cuando ganó el premio Ortega y Gasset Judith Torrea ya llevaba un largo camino recorrido en la explicación cotidiana, también a través de su blog, de su amor por Juárez; no tenía, en su delirio, otro objetivo que seguir expresando ese amor en forma de crónicas desoladas. Pero ese premio le abrió varias puertas; en España fue entrevistada en todas partes; a veces lloró ante los micrófonos, otras veces rio con su risa inigualable, pero siempre expresó, con argumentos cargados de pasión, la esencia de la lucha que llevaba a cabo para mejorar la vida de los que están perennemente amenazados de muerte.

El mensaje caló, lo sé muy bien. Recibí, y sigo recibiendo, muchísimas llamadas preguntándome por esta mujer sin fronteras, por esta energía natural dotada de risa y de llanto. ¿Quién es, dónde vive, no es un pseudónimo, es cierto que su energía está al servicio de un pueblo, podría venir a mi programa? Delante de nosotros se presentó como lo que era, con una naturalidad que te desarma. Quería estar en todas partes y fue a todas partes entonces; luego le siguieron haciendo caso, en España, en América; un día me envió un grito: ¡la revista literaria más importante de Estados Unidos la llevaba en portada! Ahí estaba, serena, muy guapa, exhibiendo en su serenidad, de todos modos, el estupor que vive en su ciudad querida. Ya, en esa portada, era aún más que una bloguera, con ser esta la raíz de su compromiso. Es una escritora con todas las de la ley. Con la pasión que hace falta para mantener en vilo un amor que es un delirio y una apuesta, y por fin, la consecuencia de un poema que se lleva muy adentro.

Los que lean este libro saldrán de él sabiendo por qué Judith Torrea es mucho más que una periodista, es una militante de la vida que está dispuesta, con la esperanza entre los dientes, a dar la batalla por el sitio donde más duele vivir y donde ella vive con más ternura.

Juan Cruz

De Nueva York a Ciudad Juárez

En la fiesta, el *glamour* neoyorquino: cocaína y vestidos de alta costura. Es la noche.

Por el día, la pantalla de mi computadora anuncia el número de muertos en Ciudad Juárez. Y en un correo electrónico me avisan de un asesinato: otro más de los que me contaron su historia y ya no están.

Desde la ventana de la oficina diviso entre los rascacielos a las personas que se dirigen a trabajar: subirán por un elevador, sin decir ni un *hola* a sus compañeros de viaje por las alturas en esta ciudad de los sueños, a veces quebrados.

Ayer exploté. Después de los brindis en una mansión de la *socialité* me invitaron a cenar a uno de los restaurantes más elegantes de Manhattan. Mesa para seis: cocina francesa y vinos. Parejas vestidas impecables en el exclusivo local. Expresiones muertas en rostros planchados por la cirugía estética.

Conversación: la recaudación de fondos en una gala en beneficio de un museo... El fin de semana en los Hamptons* y la próxima presentación de una nueva colección de diamantes.

Escucho hasta que un millonario neoyorquino que está sentado a la izquierda de mí me pregunta dónde estuve de vacaciones:

---

* Zona exclusiva en la costa del estado de Nueva York.

—En México, en la frontera, en Ciudad Juárez, y me encanta. Aunque ahora no es la misma. Hay una llamada guerra contra el narcotráfico del presidente Felipe Calderón, en medio de una lucha entre los cárteles por hacerse con la plaza codiciada del paso de las drogas que llegan desde Colombia hasta los consumidores en Estados Unidos.

—¡Judith, Judith! No hablemos de cosas serias. ¡Brindemos por México!

—¿Te has preguntado cuántos muertos (juarenses) se necesitan para que tú consumas (en paz) un gramo de cocaína? —le increpo.

Silencio... Sólo silencio...

Cada vez que regresaba a Nueva York —de mis viajes a Juárez, cada dos meses— se me hacía más difícil adaptarme a mi vida como periodista del mundo del espectáculo, mientras veía cómo se desmoronaba la ciudad que amo.

La tragedia, que leía todos los días desde Estados Unidos, se disparaba. Cuando la observaba con mis propios ojos en Juaritos, el horror de la guerra tenía nombres y apellidos. Los muertos eran más que números.

Quedaban los vivos. Y muchas preguntas por responder.

En el edificio del Rockefeller Center, donde se encontraba mi centro de trabajo, tenía varias fotos de Ciudad Juárez: sus gentes fantásticas, sus mágicos atardeceres.

Las gozaba todos los días, junto con una bandera de México (la primera bandera que he comprado en mi vida) y me sentía más cerca de esta tierra.

Decidí volver a la frontera. A vivir en mi querida Juaritos.

Soy periodista. Ahora *freelance*. En la ciudad que está catalogada como la más peligrosa del mundo. No siempre encuentro espacios para publicar mis historias. Mi blog *Ciudad Juárez, en la sombra del narcotráfico* (que se puede leer en http://juarezenlasombra.blogspot.com) surgió de la necesidad de contar lo que sucede. Sin tener que esperar a un editor. Sin autocensura.

No hay grandes investigaciones. Lo que hay son retratos de la vida diaria de esta ciudad vista con mis ojos. Escribir sobre lo que sucede me ayuda a sentirme viva entre la muerte constante. Es mi vómito de justicia.

No tengo miedo, si lo tuviera no estaría viviendo en mi querida Ciudad Juárez: pero sí reconozco el peligro. A lo único que tengo miedo en la vida es a no hacer lo que siento que debo hacer.

Son las 11.50 de la noche: he acudido a reportar diez crímenes en menos de seis horas. En todo el día murieron quince personas. En la mayoría de los casos llegué antes que las fuerzas del orden en una ciudad, ahora militarizada, de retenes constantes.

Para acordarme del número exacto de *muertitos*, como se les llama en el argot periodístico local, he mirado mis notas. A veces estoy en el lugar en menos de quince minutos. Hay que salir a otro evento.

Las distancias en Ciudad Juárez son extensas. Como su cielo de azul feroz y sus mágicos atardeceres. Por ella, siento un amor con intenso dolor: fue la primera ciudad que pisé de México hace catorce años y logró que mi corazón, nacido en España, se convirtiera en puro juarense.

En Juárez encontré la vida que no hallé cuando llegué a Estados Unidos.

Me atrapó la alegría por vivir de los juarenses, que disfrutan la vida como un instante fantástico que se puede acabar en cualquier momento. Para mí El Paso, Tejas, era la muerte: no había nada. Ahora han cambiado los papeles: la vida está en El Paso, con la huida de los miles de juarenses, y con ellos, sus restaurantes, sus negocios...

Tomo mis precauciones, aunque sé que si te quieren matar te matarán y no pasará nada.

La presión para no informar es cada vez más fuerte, sobre todo de las autoridades mexicanas. De los periodistas corruptos. De los policías federales. Recibir golpes en una asignación, amenazarte con plantar droga en tu casa si informas de las extorsiones que realizan a la población, de todas las violaciones de derechos humanos se ha convertido en algo cotidiano.

El peligro, que desde hace casi veinte años era para las mujeres pobres y bellas que desaparecían bajo el imperio de la impunidad (y después, de comisiones gubernamentales ineficaces), se ha democratizado.

Soy una reportera independiente y prefiero intentar devolver la voz a quienes se les arrebata a diario. No sé si los retratos de las víctimas en mi blog servirán para algo, para reflexionar sobre esta llamada guerra contra el narcotráfico, sólo sé que no puedo hacer ahora otra cosa. Más que contar lo que veo en Juaritos.

Estas crónicas están a punto de llegar a tus manos: enlazadas como un rompecabezas, a ritmo de metralletas y balas. Cuando las termines de leer cientos de personas habrán sido asesinadas bajo el imperio de la impunidad. Temo no equivocarme. Desde que regresé a vivir a Ciudad Juárez más de seis mil personas se han convertido en muertitos.

Gritos a quemarropa

Tumbas sin nombre
Jueves 5 de noviembre de 2009

Los cadáveres que nadie quiere huelen más fuerte. También pesan más.

Ramón Andiano Vargas, enterrador de 66 años del Panteón San Rafael, en Ciudad Juárez, intenta huir de ellos. Y de ellas: las fosas comunes donde esta ciudad mexicana se derrumba con sus muertos cotidianos, algunos desconocidos.

Siente tristeza. Y miedo. Andiano teme a enfermarse con tanto olor a muerto que esperó tres meses a ser identificado y finalmente inhumado con la compañía de otros que acabaron como al principio de sus vidas: sin un nombre. Los entierra con la protección de un sombrero blanco contra los rayos de sol y un buzo blanco, del que se deshizo al término de su chamba* arrojándolo junto a la arena del desierto que cubre los muertos. Lo hace por 1.400 pesos (unos 115 dólares) a la quincena. Y por sus nueve hijos.

El jueves 5 de noviembre vi cómo despedía a dieciséis de ellos en ataúdes numerados con las características de los cadáveres: catorce muertos por la llamada guerra contra el narcotráfico y dos por muerte natural. Todos hombres. Fallecidos entre agosto y septiembre.

---

* Trabajo.

Lo hizo con sus manos al descubierto, junto a otros tres compañeros: un hombre observa cómo bajan los féretros de un camión y con cuerdas los llevan hasta los agujeros que han cavado. Es Ramos, un perito de la Dirección General de Servicios Periciales. Viste una camiseta negra de la que surgen letras blancas en mayúsculas que dicen: CADÁVER.

Ciento treinta y nueve personas no identificadas por desconocimiento de sus parientes —que viven en otros estados de México—, por temor o por falta de recursos económicos, entre otras razones, han sido sepultadas en fosas comunes de Ciudad Juárez en los últimos diecinueve meses, según datos de la Subprocuraduría de Justicia en la Zona Norte. Los muertitos *de las fosas comunes huelen: a nada chido**. *Como el futuro de la ciudad de los asesinatos en la que cada día nacen los nuevos sicarios del futuro. Y los nuevos cadáveres.*

El cuarto de la mañana. Ocho asesinados hoy

Lunes 9 de noviembre de 2009

Lo acribillaron hace unos minutos, junto a sus dos amigos de la infancia, a la puerta de su hogar, en la colonia obrera Ampliación Aeropuerto de Ciudad Juárez.

Los vecinos asisten a la ceremonia de las ejecuciones en familia. Todo es como en las salas de cine, pero sin palomitas para el público presente. Desde niños a adultos.

Los familiares de uno de los jóvenes, todavía vivo, trasladan en su propio vehículo a un herido.

El silencio de la muerte se rompe con los gritos de una de las esposas, que se abraza a cinco personas que le impiden ver a su esposo en un charco de sangre.

Llegan los militares con la policía municipal. Acordonan la zona en medio de los reproches de la hermana

* Bueno.

de uno de los asesinados: «¿Para qué están aquí? ¿Por qué no hacen su trabajo? ¡¡¡Mi hermano ya está muerto!!!».

Es lunes 9 de noviembre. Son las 2.00 de la tarde. El cielo azul y soleado de hoy en Ciudad Juárez lanza proyectiles de horror. Como todos los días: desde que comenzó esta guerra contra el narcotráfico, en la tierra del Cártel de Juárez y paso de la cocaína de Colombia a los consumidores de Estados Unidos. La de los huracanes de color en el desierto en el atardecer.

En nueve días sesenta y ocho personas han sido ejecutadas en este mes de noviembre. Y en este año, 2.194. Unos diez mil niños huérfanos lloran a sus padres, en espera eterna por las autoridades preocupadas en recoger y enterrar muertos. El futuro huele a violencia arrolladora.

Actualización: fueron ayer diez los muertitos. *Cuatro por la mañana y seis por la tarde. El último, en el centro nocturno «Alice and Charlie». Doce disparos de dos hombres lo eliminaron, según fuentes policiales. El día está todavía hoy tranquilo en Ciudad Juárez. Son las 8.30 de la mañana. Aún no hay* muertitos. *Los sicarios, libres.*

El narcocorrido que anuncia la muerte

Miércoles 11 de noviembre de 2009

Pasaditas las 5.00 de la tarde del miércoles 11 de noviembre, la radio de la policía municipal de Ciudad Juárez fue interferida por un narcocorrido: por unos segundos. Esta vez no pude alcanzar a distinguir si éste era uno de los preferidos del Cártel de Juárez o del Sinaloa, que se disputan esta codiciada zona para el negocio de las drogas hasta en las ondas policíacas. Lo único que supe es que la muerte se acercaba. Media hora después la calle Senderos de Pamplona, en una colonia obrera de la ciudad, se convirtió en un espectáculo de horror.

Cuando llegué un cuerpo estaba tendido al lado de una camioneta blanca Avalanche último modelo. El otro estaba dentro de la camioneta Pontiac negra.

Los detalles iniciales me los contaron un grupo de niños. Fueron los primeros testigos: salían de la escuela cuando se encontraron con un comando armado, persiguiendo, con metralletas, a otros dos.

Los nuevos *muertitos* son Juan Pedro Sariñana y su hijo Mario. Lo dice su tía Amparo de la Luz Álvarez que observaba desde la distancia la muerte con un cigarro en los labios. Al parecer, se dedicaban a la venta de autos.

Hay días en que los narcocorridos en la radio de la policía de Juárez anuncian la muerte. Quedan las imágenes: como las de Claudia que a sus 5 años ha visto cinco asesinatos. Los primeros en su vida de niña fueron hace cuatro días: tres jóvenes.

La mañana fue tranquila. Los muertos, en este día soleado, no llegaron hasta la tarde. Tres cadáveres: dos acribillados y un cuerpo que se encontró en un canal. Las autoridades revelaron la identidad de un torso, brazos y manos cortadas descubiertas por un niño en la tapa de un drenaje, el pasado 8 de octubre. Los restos pertenecen a Gilberto Ontiveros Mejía, de 39 años, el hijo de Gilberto Ontiveros Lucero, El Greñas, capo de la droga del Cártel de Juárez antes de Amado Carrillo Fuentes.

Un soldado tras mi nombre

Miércoles 11 de noviembre de 2009

Pensé que me iba a regañar por hablar con los testigos antes de que dos camiones del ejército y dos de los policías federales llegaran al lugar del asesinato. No fue así. El soldado que se dirigía directamente hacia mí —con un folio y un bolígrafo en la mano— sólo quería saber mi nombre y el medio para el que trabajaba.

Lo que me contaba Pablo Adrián, un joven de 20 años, trabajador de una fábrica maquiladora, parecía ajeno a su universo.

Este chavo* vio todavía vivo al hombre que se encontraba ahí, tirado en el suelo, en un charco de sangre, al lado de su bicicleta, en la puerta de una casa. En las calles Plan de Ayala y Bolivia, en la colonia obrera El Barreal de Ciudad Juárez.

En la tarde del miércoles 11 de noviembre, Pablo Adrián llamó al 060 con la esperanza de que las autoridades llegaran al rescate de aquella persona. Éstas tardaron hora y media en aparecer, según el testigo. Es más, vio cómo de un coche verde, un neón sin placas, cuatro jóvenes dispararon varias veces con una 25, una pistola. «Se siente bien feo», repetía y repetía el joven.

Al soldado no le gustó nada que no le diera mi nombre. «¿Para qué lo quiere?», pregunté. «Tengo que reportar a mis superiores». Le comenté que aunque sus jefes me conocían, no se lo iba a dar porque esta práctica iba en contra de la libertad de prensa.

En la mañana un militar se había dedicado a fotografiarme mientras intentaba hacer mi chamba. Seguro que somos un peligro, pensé. Como los sicarios.

Seis hombres fueron asesinados el miércoles 11 de noviembre y otros tres resultaron heridos.

Matar al maestro

Viernes 13 de noviembre de 2009

—Les tengo una mala noticia. Acaban de matar al profesor Alfonso Martínez.

Es viernes 13 de noviembre de 2009. Son las 6.00 de la tarde. Dos de los jóvenes se levantan de la reunión:

* Chico.

—¿Cómo?

El celular de Sergio P. irrumpió en el encuentro semanal de varios universitarios del Plan Estratégico de Juárez, que intentan buscar soluciones para su ciudad. Hasta que llegó la muerte al maestro de economía Alfonso Martínez Luján a los 38 años.

Iba acompañado de su esposa y de su cuñado en el fraccionamiento Paseos del Alba. A eso de las 4.00 de la tarde.

El tercer catedrático asesinado de la Universidad Autónoma de Ciudad Juárez tripulaba un automóvil Dodge New York modelo viejo. Hizo un alto en un semáforo de las avenidas Gómez Morín y Jilotepec: dos de las más conocidas de la ciudad, muy cerquita de la estación de policía Benito Juárez.

Cuando el semáforo se puso en verde, uno de los tres sicarios le disparó a corta distancia, y se dieron a la fuga en una camioneta negra Jeep Grand Cherokee, según testigos.

Al finalizar la reunión nadie quiere salir a tomar un café. Ni por una de las zonas más exclusivas de entretenimiento de la ciudad, la Plaza Cantera. El sábado pasado mataron a dos jóvenes, hijos de empresarios.

Ya son más de 2.222 muertos en este año. Más los extorsionados, los secuestrados. Todo lo que no se denuncia por temor: por no saber quién está con la ciudadanía que sufre la llamada guerra contra el narcotráfico.

Quince personas más asesinadas esta jornada en Ciudad Juárez. Una de ellas, un niño de 7 años. El próximo viernes volverán a reunirse. Con su profesor ya enterrado.

Prisión motín

Sábado 14 de noviembre de 2009

Al llegar al módulo de alta seguridad del Cereso (Centro de Rehabilitación Social) estatal de Ciudad Juárez —la sección de la prisión donde el 4 de marzo murieron veinte reos en una reyerta entre pandillas— los internos me dieron la espalda desde sus celdas.

Poco a poco pude ver sus rostros. Me acerqué y al presentarme supe que el chico joven, guapetón, sin el dedo índice y pulgar de la mano derecha pertenece al Cártel de Sinaloa.

Cerquita de él está un sicario de La Línea, el brazo armado del Cártel de Juárez, que me contó su reciente inquietud: no poder abrazar a su pequeña, que cumple años este domingo 15 de noviembre. Lo hizo mientras miraba a la Santa Muerte, dibujada por él. Según las autoridades, Jesús Echeverría Vaquera ha matado a treinta y seis personas.

El gran problema de Javier Sida, nacido en Los Ángeles, California, de padres juarenses hace veintinueve años y perteneciente a la pandilla de Los Sureños, son sus tatuajes: más que el homicidio que cometió. Las huellas de su piel contienen símbolos de las dos pandillas rivales en la prisión del Cereso: los Aztecas y los Mexicles. No es tan peligroso. «Sólo» mató a una persona. En este módulo, aislado del universo carcelario, está más seguro: del resto de los 650 prisioneros.

En el interior de las cárceles de Ciudad Juárez se decide el presente de un exterior en caos: el negocio del narco menudeo. El motín carcelario con veinte muertos fue obra de dieciséis integrantes de los aztecas. Más de 600 agentes restablecieron el orden. La pelea ocurrió al día siguiente de que se anunciara la llegada de más efectivos militares para combatir el narcotráfico. El subcoordinador de seguridad de la prisión del Cereso estatal Alfredo J. García me dice que se siente «más seguro» aquí que afuera. Antes fue vendedor de burritos.

Barricadas contra secuestros y asesinatos

Domingo 15 de noviembre de 2009

En la calle donde vive el empresario juarense Jorge Contreras sólo quedan él y su familia. El resto son casas en venta. Letreros que buscan un comprador que ahora nunca llega.

Contreras decidió regresar a Ciudad Juárez tras unos meses en El Paso. No podía ver desde la distancia cómo su ciudad se desmoronaba y quedarse con los brazos cruzados.

Tomó sus precauciones: guardaespaldas armados que lo siguen. Barricadas en los accesos a las calles del fraccionamiento donde vive, El Campestre, una de las zonas residenciales más exclusivas de la ciudad fronteriza con Estados Unidos.

Este domingo quedé con él. Lo que le costó, según me contó después, una gran discusión con su esposa temerosa de que al salir en domingo lo asesinaran. Los días festivos pueden parecer los más peligrosos en la ciudad, donde las calles y restaurantes están prácticamente vacíos.

Las funerarias, las iglesias y los cementerios ofrecen otro paisaje: abundancia de dolor. Como el de esta mañana del 15 de noviembre con el entierro de Raúl Jasiel Ramírez, un niño de 7 años que durante la semana estudiaba en El Paso y que lo asesinaron junto a su padre. En la tarde, el funeral fue para el catedrático de la Universidad Autónoma de Ciudad Juárez, Alfonso Martínez Luján. Algunos de los otros doce ejecutados del viernes siguen esperando un examen del forense para poder descansar en un ataúd. A veces no llega hasta en ocho días.

Desde que regresó, Contreras ha participado en el rescate de diecisiete personas secuestradas en tres meses. Eran de su fraccionamiento de 160 familias: ahora con unas ochenta. Y todos los días aumentan sus luchas para recuperar su ciudad.

Una pregunta para un sicario
Martes 17 de noviembre de 2009

—¿Cómo se llama el sicario que conociste? Te voy a mandar su foto y si es el mismo, pregúntale por qué mató a mi tío.

Francisco (que prefiere guardar su nombre en el anonimato) me mira fijamente y, de pronto, su expresión dulce se convierte en un huracán de impotencia.

—Lo mataron en agosto. No pude ir al funeral. Todavía no he podido decirle a mi tía que lo siento. Es un tema que no hablamos en la casa.

Y busca con sus ojos a los cinco guardias de seguridad que lo protegen día y noche: unos 20.000 dólares al mes.

—Tengo suerte. Yo puedo pagarlos. Pero no sé si mi vida tiene un precio más alto, si un día me traicionarán.

El resto de la ciudadanía ¿qué hace? Nos estamos quedando con una ciudad fantasma, de niños huérfanos. Un México sin futuro, mirando siempre a Estados Unidos, para emigrar, para suministrar drogas. Y comienza en Ciudad Juárez. ¿Dónde está el presidente Calderón? Su guerra no funciona. La ciudadanía dejó de confiar en los militares. Vivimos en miedo constante, sorteando la muerte.

Grito de auxilio
Miércoles 18 de noviembre de 2009

—¡¡¡Ay!!! ¡¡¡Mamá!!! ¡Ayúdame! Me tienen en una camioneta dando vueltas.

No contesto. No puedo creer lo que escucho. Miro por las ventanas para ver si hay algún vehículo dispuesto a robar la casa donde vivo, rodeada de rejas, alambres, púas y alarma de seguridad. ¿Será una trampa?

—¡¡¡Ayúdame!!!

—Te has confundido de teléfono —contesto.

Cortan la llamada. Era una voz de mujer. Son las 8.30 de la mañana en Ciudad Juárez. Miércoles 18 de noviembre. Estoy saliendo para una reunión con el alcalde José Reyes Ferriz (PRI)* y los empresarios de la ciudad. Están dispuestos a pedirle cuentas: o que haga su chamba o abandone el puesto.

Muchos de ellos, al igual que el alcalde, viven ahora en Estados Unidos por la inseguridad y la muerte constante. En El Paso, Tejas, que está cruzando uno de los puentes fronterizos que separan y unen a las dos ciudades.

El alcalde Reyes Ferriz se resiste a dejar su posición a pesar de la insistencia de algunos sectores, y presentará un programa de seguridad basado en el uso de cámaras para impulsar la denuncia anónima. Mientras va recogiendo premios internacionales por su labor.

Las cámaras instaladas en la ciudad —debido a la fuerte presión social por la desaparición de mujeres— nunca han podido captar una de ellas. De repente, en ese preciso momento, todo se vuelve negro.

Me invaden mil preguntas y un vacío en el estómago: pienso en la llamada por teléfono y en esa mujer. Por su voz parece muy joven, una chava. Aunque la voz con llantos y gritos puede parecer de otra edad. ¿Dónde estará? ¿En la cajuela de un vehículo o con sus captores? ¿Qué habrá pasado? ¿Pudo haberse comunicado al final con su mamá o el equivocarse de número le habrá costado la muerte? No quiero ni pensar. En cierta manera me siento culpable. Como si al haber contestado el te-

* Partido Revolucionario Institucional.

léfono fijo de la casa, la joven hubiera perdido la oportunidad de ser libre.

Recuerdo mi conversación de ayer con Héctor Padilla, profesor de Ciencias Sociales en la Universidad Autónoma de Ciudad Juárez, una de las universidades punteras de México que ya ha perdido, por ahora, a tres profesores que fueron ejecutados desde que comenzó la guerra anunciada por el presidente Felipe Calderón, hace veinte meses.

—Dame tu número de celular para que conteste cuando me llames. Si no reconozco el número, no respondo. Ésta es una medida de protección contra las extorsiones y los secuestros —me advirtió.

Todavía no hay *muertitos* hoy. Ayer ejecutaron a ocho e hirieron a un chico de 16 años, hijo de uno de los acribillados. En este año 2.348 asesinados, con sus viudas, viudos y sus hijos.

De los extorsionados, secuestrados, asaltados no hay una cifra oficial que sea certera. Pocos se atreven a denunciar. «¿Para qué?», piensan muchos. No pasa nada. No investigan. Las autoridades infiltradas en el crimen organizado te pueden dar el peor de los sustos.

Lo extraño en Ciudad Juárez es no haber vivido una de estas pesadillas.

El cielo azul brilla con fuerza. Es el sol del desierto.

Feminicidios olvidados
Lunes 23 de noviembre de 2009

Una campana suena hoy por la ciudad. Como si en cada sonido reapareciera el rostro del dolor de las que murieron o siguen desaparecidas bajo el imperio de la impunidad.

Hace trece días salió desde la Ciudad de México en una caravana por diez estados del país llamada: «Éxodo por la vida de las mujeres» para finalizar en Ciudad Juárez, la ciudad más violenta del mundo, según el Reporte Uniforme de Crímenes (CRU) del FBI.

Ahora el ritmo de los miles de asesinatos de la llamada guerra contra el narcotráfico del presidente Felipe Calderón ha dejado en un segundo plano de la actualidad los feminicidios.

Llega al campo algodonero: donde un día fue descubierta hecha un cadáver la hija de Irma Monreal, junto con otras siete jóvenes hace ocho años. Aquí hubo unas cruces rosas con sus nombres. Ahora se levanta un hotel en construcción con el que algunos intentan que se olvide el pasado.

Irma Monreal, madre de Esmeralda Herrera Monreal, de 15 años cuando desapareció un 29 de octubre de 2001, se derrumba con el recuerdo. Con la herida que nunca cerró la impunidad.

«Tengo miedo por lo que nos puede llegar a pasar cuando la Corte Interamericana emita oficialmente los detalles de la sentencia, en la que culpa al gobierno mexicano por los feminicidios de mi hija y otras dos más», comenta Monreal, de 48 años, madre de seis hijos y abuela de siete, que cada día cruza a El Paso para limpiar casas.

Con Sagrario González, la mamá de Paula Flores desaparecida hace once años y Berta Alicia García Ruiz, que lleva buscando a su hija Brenda Berenice Castillo García desde el 6 de enero de 2009, se funden en un abrazo.

«¡Ayúdenme a buscar a mi hija!». Es el grito de dolor de la madre de Brenda, que se repite: por distintas madres. Como desde hace diecisiete años.

Un centenar de personas, entre jóvenes, mujeres y niños, alzan sus voces para convertirlas en: «¡Ni una más!». Lo hacen mientras algunos incrustan en la tierra ocho pequeñas cruces rosas para no olvidar, que aquel lugar donde se encontraron los cuerpos, es un lugar sagrado.

«Es nuestra forma de voltearnos a que nos miren, para que nos escuchen», comenta la rapera Susana Molina, de 25 años, vestida con una máscara de la muerte en el rostro y una minifalda de tela militar con una frase: Juárez no es un cuartel. «Quieren borrar la historia. La campana es un llamado de alerta por la violencia que estamos sufriendo, un llamado a la unidad y entre todos exigimos al poder que cumpla con su trabajo», subraya.

La caravana, que llegó a Ciudad Juárez por el kilómetro 20, recorre la ciudad durante varias horas. Al frente van las mamás. Unas veces encaramadas en un carrito con la campana; en otras ocasiones caminando.

Son madres tanto de Juárez como de la ciudad de Chihuahua del grupo Justicia para Nuestras Hijas, fundado por Norma Ledesma, cuando perdió a su hija Paloma Escobar, un 2 de marzo de 2002 en Chihuahua a los 16 años.

Patricia está sin su Neyra Azucena Cervantes que desapareció el 13 de mayo de 2003 en Chihuahua, la capital del estado del mismo nombre y a unas cuatro horas al sur en automóvil de Ciudad Juárez. Patricia ha vuelto a sonreír. Acaba de ser abuela.

«Judith nos acompañó en el rastreo en Los Cuernos de la Luna», así me presenta Cervantes a otras madres. Y al hacerlo con este recuerdo me siento extraña: en otros lugares del mundo me hubieran introducido de otra manera: hubiera sido la mesera* de un restaurante, la socorrista o la periodista.

Fue en el verano de 2003. En esa montaña altísima de la ciudad de Chihuahua donde ella sentía que su hija estaba. Y la encontró. Hecha un esqueleto.

Con ella está Hortensia Enríquez, la mamá de Erica Noemí Carrillo Enríquez, desaparecida el 11 de diciembre de 2000.

* Camarera.

«El 10 de noviembre cumplió 28 años mi hija», dice Hortensia, de 65 años. «Le mandé hacer una manta con un girasol y adentro está su rostro. También le pusimos una felicitación en el periódico, le decíamos que la extrañábamos, que sabíamos que alguien se la robó. Le compré sus flores: girasoles y rosas. Las puse en su cuarto».

Y Hortensia mira hacia el suelo y dice: «Mi esposo se ha muerto sin nunca saber». Desde hace diez años.

Hoy Ciudad Juárez batió otro récord de la muerte: superó los 2.302 muertos en este año: nueve muertos más en un día. El pasado finalizó con 1.607. Las madres siguen buscando a sus hijas. A otras ya sólo les queda pedir justicia para sus muertas.

Siete muertos en menos de siete horas, al día siguiente de la muerte de Arturo Beltrán Leyva

Jueves 18 de diciembre de 2009

Lo llamaban Junior hasta hace unos minutos. Yace en la puerta de la casa de su novia en la colonia obrera Lomas del Rey, de Ciudad Juárez. Los policías federales acaban de llegar, tras una hora en el suelo. Les siguen los militares y los policías municipales. Todos están viendo el cuerpo. Unos desde cerquita. Otros a lo lejos, como dos federales que platican* relajadamente con dos chicas adolescentes de bonita sonrisa, tez clara y ojos azabaches.

Tenía 18 años. Trabajaba en un taller mecánico con su padre. Los vecinos dicen que era un buen chavo. Hasta que de repente llegó a toda velocidad una camioneta Explorer. De color negro. Y Junior comenzó a co-

* Hablan.

rrer, pero desde el lado opuesto se le lanzó otro vehículo. Lo acribillaron.

Los treinta y cinco casquillos están en el suelo.

Ahora es un cadáver más: para muchos. Para Marta no, éste es el octavo vecino que pierde en siete meses y en muchos de los casos ha escuchado los disparos, ha visto cómo un cuerpo se queda sin la sangre que ahora baña el suelo, ha llamado al 066 para pedir auxilio...

—¿Le puedo pedir algo? Necesito una psicóloga para mi amiga. Le mataron a su hijo de 15 años hace tres meses. No puede dormir, no puede vivir —me dice la vecina de los ocho cadáveres, y de 46 años.

Son las 4.20 de la tarde del jueves 17 de diciembre, el día siguiente de que las autoridades mexicanas acabaran en Cuernavaca (a más de veintiséis horas en carro* de Ciudad Juárez) con el capo Arturo Beltrán Leyva, del Cártel del Golfo y mano derecha del Cártel de Juárez. En la radio se escucha la voz del presidente de México, Felipe Calderón, que aplaude la acción dentro de la llamada lucha contra el narcotráfico con el ejército.

En la escena del crimen un veterano policía municipal comienza a escupir carcajadas desde una boca de la que también sale humo de un cigarro:

—Están dejando el paso libre al Chapo (Cártel de Sinaloa). ¿Guerra contra el narcotráfico? Ja, ja, ja, pregúntele a los soldados a quiénes matan.

Para los que no están en mi querida Juaritos: muchos miembros de la policía municipal trabajaban con el Cártel de Juárez, según José Reyes Ferriz el alcalde de Ciudad Juárez, que vive en El Paso. Pero en la limpia del alcalde, despidió hasta a los policías que no habían tomado el test de confianza. En Juaritos todo es posible. Hasta lo más imposible.

* Coche.

La vida sigue en este día. Con su muerte. La subprocuraduría de Justicia de la Zona Norte, en Ciudad Juárez anuncia la *gran* noticia de la jornada: la detención del extorsionador de la Catedral. Es más, lo va a presentar a los medios. Son las 5.30 de la tarde y al dar la vuelta por uno de los pasillos de la institución, me tropiezo con diez agentes con el rostro cubierto y un hombre en un buzo amarillo que en la parte de atrás lleva una marca grabada en letras negras: IMPUTADO.

Al rato regresan de una manera más ordenada, siguiendo las indicaciones de los voceros* para que las televisoras puedan grabar sin contratiempos. Y comienza la presentación oficial en otro pasillo. No puedo ver los ojos del presunto extorsionador. Unos ojos que miran al suelo en una piel sonrojada. Se llama Juan Ángel López. Tiene 24 años y su ocupación, según las autoridades, es: «desempleado (trabajó como guardia de seguridad en una empresa maquiladora)». A un lado, la evidencia de la extorsión: una navaja, una cartulina con amenazas, un sobre, la cartera con su documentación y una gorra.

Es su primer delito, que se sepa, y no lo pudo consumar: cuando la trabajadora de la maquiladora a la que quería extorsionar le fue a entregar un sobre con unos 15.000 pesos en efectivo (unos 1.240 dólares) en la puerta de la Catedral fue detenido. Mala suerte para el chavo: porque 24.000 juarenses que han sufrido actos delictivos (sin incluir los homicidios) desde enero hasta el 30 de noviembre y que los han denunciado siguen esperando justicia en los escritorios de los agentes, según la Unidad de Atención Temprana de la Subprocuraduría de Justicia en la Zona Norte. Los casos resueltos hasta el momento son 1.528.

El escáner de la policía avisa de otro muerto. En la colonia Solidaridad Infonavit. Alberto, ahora cadáver, esta-

---

* Portavoces.

ba arreglando una camioneta safari, según uno de los testigos: un chavo de 20 años con un niño en brazos. El testigo lo vio todo porque los sicarios se encontraban delante de su camioneta. «Eran dos muchachos, lo mataron con cuatro tiros y se subieron en su van como si nada», explica.

Otro más. Esta vez en el crucero de las calles Óscar Flores y Vía Láctea, uno de los principales de la ciudad. El tráfico está cortado en el carril donde se encuentra la camioneta Envoy, de color blanco. El cuerpo de Julio César Esparza, de 30 años, según la credencial de elector, está tirado en su asiento. Al parecer, un comando armado le disparó en varias ocasiones.

Una agente estatal de 21 años, que lleva tres meses en su nueva chamba, sonríe con un arma que cubre parte de su cuerpo. «Al principio estaba bien nerviosa, luego te acostumbras», dice la joven, desempleada de una maquiladora. «Este trabajo tiene sus pros y sus contras. La ventaja es que te ayudan para ir a la universidad. Quiero ser psicóloga».

Son las 6.30 de la tarde:

—¡¡¡Ah!!! ¡¡¡No!!! ¡¡¡Mi hijo, no!!! ¡¡¡Ah!!!

Apenas puedo ver su rostro. La sostienen cuatro hombres, son familiares. Ella grita, salta. Hasta que entra a la Cruz Roja de la colonia Salvárcar.

Atrás queda un autobús, el que conducía su hijo y su sangre. Hasta aquí lo manejó como pudo Manuel, de 16 años y cuñado de Edgar Coronado Guerrero, de 22 años y padre de dos niños, uno de 2 años y otro de 3 meses. Lo hizo desde la calle Fundadores de América con Mar de Plata, a unos quince minutos y con un fuerte tráfico. Los pasajeros de esta unidad de transporte público, perteneciente a la línea Valle de Juárez, salieron huyendo tras el incidente. Según el cuñado, fue un robo.

Una hora después, a las 7.35 de la tarde, los adolescentes que estaban jugando en la escuela preparatoria

Altavista ya no están en el campo deportivo: un policía municipal fue asesinado y otro herido. Los niños cuentan que hubo unos treinta disparos en el cruce de las calles Cloro y Norzagaray, a un costado del centro educativo.

Los carros que circulan por la calle opuesta se van deteniendo en busca del suceso. Hay familias enteras con pequeños de todas las edades, a los que separa de la muerte en directo una acequia que divide los dos sentidos de la carretera.

—¿Qué están viendo? —exclama un policía.

—¡Veo lo que quiero. Por eso los matan, son unos pendejos*! —contesta una mujer.

En unos minutos los policías municipales mueven la patrulla baleada de la estación Delicias con otra unidad, a empujones. Y recogen los casquillos con la mano. Los agentes ministeriales —que acuden cada vez que hay un tiroteo para realizar la primera investigación antes de retirar el vehículo— no están en el lugar del crimen.

El bar El Elegante, de la colonia Rastro, dejó de servir copas a eso de las 8.00 de la noche. Los seis disparos que le dieron a la encargada de la barra provocaron la huida de todos. El primero, el asesino. La mujer fue trasladada con vida al Hospital General y en unos minutos murió.

Tres patrullas de soldados, dos de policías municipales y otras dos de federales, custodian la puerta del lugar en donde ya no están el cadáver ni el sicario. «Anduvimos en la persecución (de la camioneta que mató al policía municipal) por el Camino Real, unas diez unidades, pero no dimos con ella», dice un policía municipal.

9.25 de la noche: otro cadáver. Colonia Acacias.

El policía dice que César Alba, de 29 años, que está tirado en el suelo, tiene dos impactos de bala en el cuerpo. Uno en la parte izquierda del cuello y otro en la clavícu-

* Idiotas.

la derecha. Su tía sale de la casa con 100 pesos (unos ocho dólares) para pedir a su hijo que recargue la tarjeta del celular y así poder avisar a la familia. El teléfono en México es un robo: unas cuatro veces más caro que en Estados Unidos.

Al parecer César estaba en la puerta de su casa cuando escuchó que estaban intentando secuestrar a Edgar, un chavo de 15 años. A él se lo llevaron y a César lo acribillaron.

Llegan las 10.30 de la noche. Y una mujer acompañada de una niña en la calle Luis Herrera, sin pavimentar como el 60 por ciento de las calles de Ciudad Juárez, me pide:

—¿Puede escribir en su reporte que las autoridades pongan luces? —me dice.

Acabo de llegar a la Colonia Revolución Mexicana y aquí parece que no ha llegado ni un ápice de la revolución de 1910 que intentó luchar en contra de la pobreza y la desigualdad social. Y eso que en Ciudad Juárez se firmaron los acuerdos de paz.

El encobijado (un cadáver envuelto en una cobija) está encima de una alcantarilla. Los vecinos de la casa donde está el muerto no escucharon disparos. Lo mataron hace poco: sigue saliendo sangre de su cuerpo.

Fallece Esther Chávez Cano: Ciudad Juárez sin la voz

Viernes 25 de diciembre de 2009

Desde hace unos meses Esther Chávez Cano se desmoronaba como Ciudad Juárez, la ciudad más violenta del mundo. Los muertos de cada día —con sus niños huérfanos— la mataban poco a poco, pero también la realidad que vivía al acudir a recibir quimioterapia al hospital del seguro social en Juaritos.

Ahí encontraba a mujeres que iban a su cita contra el cáncer cuando tenían dinero para el bus y lo hacían golpeadas por sus esposos, mujeres que no tenían qué comer tras haber perdido a sus hijos y maridos en la controvertida guerra contra el narcotráfico del presidente Felipe Calderón.

Nunca la escuché quejarse. Era como si su enfermedad no fuera nada si la comparaba con los problemas de las mujeres que se encontraba a diario. A todas intentaba ayudar. Como siempre.

El día de Navidad a las 6.00 de la mañana murió en su hogar de Ciudad Juárez. Hacía tres días que no hablaba. Sólo respiraba.

En lugar de llorar me siento fuerte y de hecho he comenzado a avisar a varias de sus amigas, desde Eve Ensler hasta Lydia Cacho o la señora Villigrana, que volvió a sonreír gracias a Casa Amiga, después de haber sufrido la agonía de esperar alguna noticia de su hija de 15 años, y recibir un cráneo como única respuesta de las autoridades.

Me siento como abrazada y protegida por ella. Desde que conocí a Esther hace doce años en Estados Unidos me unió una complicidad mágica.

Esta súper mujer se fue con un misterio: nadie supo a ciencia cierta su edad. Parece ser que tenía 77 años. Esther poseía una elegancia innata y una fuerza de las que saben convertir la adversidad en fortaleza y esperanza. Con su enfermedad aprendí otra lección, que comparto con vosotros:

Hay días en los que la quimio intenta apagar su voz. Se recuesta en la cama. Cuando piensa que su jornada termina, el teléfono suena:

—Esté tranquila, señora. Ahora voy.

El cáncer es una enfermedad cabrona. También lo es la realidad cotidiana en Ciudad Juárez: con sus muertos en nombre de la guerra contra el narco, sus viudos y sus niños, los retenes constantes, las desaparecidas.

—Estamos como hace dieciséis años. Peor.

Hay voces que anuncian el horror y la esperanza. A la de Esther Chávez Cano se la intentó desprestigiar, en su propia tierra, con campañas mediáticas. Así actuó el ahora ex gobernador Patricio Martínez para acallarla desde el mayor periódico del estado, *El Diario de Juárez*, del que es accionista. Pero no pudieron silenciarla.

Tampoco detuvieron sus logros: en 1993 comenzó a elaborar una lista con los nombres de las muertas y desaparecidas de Juárez que dio la vuelta al mundo. Después pasó a la acción: creó Casa Amiga, un centro no lucrativo que atiende integralmente, y gratis, a las mujeres y niños víctimas de la violencia. Veinticuatro horas al día.

Esther me decía:

—Vivimos cerca de Estados Unidos, que requiere del narco y nos controla. En Juárez los policías y las autoridades siempre han manejado la droga. Les dejaban la venta de la droga a unos o a otros, y así iban pasando los años sin proyectos para detener la violencia hacia las mujeres, sin parar la venta de droga.

Nunca imaginó ver la ciudad militarizada:

—Yo tengo miedo, pero no por mí, yo ya soy vieja y voy de salida, sino por la juventud. Me pongo a pensar en cuántos niños han quedado sin padre. ¿Qué será de ellos si no se hace nada? Dentro de unos años serán los asesinos brutales que cortan cabezas o cuelgan cadáveres en las avenidas. ¿Quién se va a hacer cargo de ellos?

—¿La solución? Que se vayan los militares, que asuma la autoridad civil su obligación o renuncie, porque fueron votados y muchos ciudadanos les entregaron no sólo su poder, sino su confianza. Juárez es una ciudad fallida.

A Esther Chávez Cano, que recibió en diciembre de 2008 el Premio Nacional de Derechos Humanos de manos del presidente Calderón, no la calla ni el cáncer.

Es dura de matar, lo dice mientras ríe. Hoy su voz es un susurro: le dieron la quimio*.

El día en que la DEA anunció ataques contra civiles

Miércoles 30 de diciembre de 2009

—¡Papá, levántate! No se quiere levantar mi papá. Está vivo, ¡que se levante! No, no, no es mi papá. Papá está conmigo, en la casa... ¡¡¡Te amo!!!

Es su papá. Salvador Sánchez González, de 38 años, también de dos niños más. Hace frío a eso de las 7.00 de la tarde del miércoles 30 de diciembre. Y Sánchez ya es un cadáver.

Su hija grita en una esquina de la calle, a unos doscientos metros del cuerpo. Los soldados se acercan en grupo y desde sus celulares toman fotos de recuerdo. Pasan uno a uno. Deben de ser los nuevos que han llegado. Los que todavía no están acostumbrados al espectáculo de diez a quince muertos al día: hasta que te toca en la sangre de tu propia familia, y en lugar de tomar fotos, sólo gritas. Lloras o pides un celular que tenga crédito para avisar al resto de tus familiares de la tragedia.

Sánchez González terminó su día muerto, tras una jornada de trabajo como chalán** en un taller de camiones. Entre la calle Checoslovaquia y Sevilla, en la colonia obrera Mirador. Con su hija mayor diciéndole todo lo que no le pudo decir en vida: «¡¡¡Perdóname, papá!!!».

De pronto los soldados se alejan corriendo del asesinado, y de un carro que está estacionado cerca del cadáver

---

* Extracto de un reportaje que publiqué en la revista mexicana *Letras Libres* en mayo de 2009.

** Ayudante de mecánico.

del papá de la chava, que está gritando. Y se suben a sus vehículos. Le siguen los federales y los municipales. Todos salen en estampida.

—¿Qué ocurre? —pregunto y nadie contesta.

Decido apartarme, como ellos.

En ese momento, llega uno de mis colegas. Se acerca al cordón amarillo que separa la escena del crimen, dispuesto a grabar.

—¡¡¡Apártate!!! ¡¡¡Ten cuidado!!! ¡¡¡Los soldados se acaban de ir a la carrera*!!! —le grito.

Y el chavo que no se mueve, ni modo. Que saca su cámara y empieza a filmar. Y yo pensando que en ese preciso instante va a estallar el carro que está al lado del cadáver. Y se va a llevar a mi colega. Sigo gritándole sin que mis piernas quieran correr más lejos, y él mirándome como si fuera una extraterrestre. Hasta que regreso, le tomo del brazo y consigo empujarlo: las ventajas de ser una mujer grandota y bueno, él es un chaparrito**, hay que decirlo también.

Ese rostro de terror de las fuerzas de seguridad lo vi antes, lejos de Ciudad Juárez y hace muchos años. Es la huida cuando el coche bomba está a punto de estallar y ya no se puede desactivar el artefacto.

El día había comenzado en la fascinante Ciudad de México con una noticia: la alerta de la Agencia Antidrogas de Estados Unidos (DEA) al gobierno mexicano de posibles ataques del narcotráfico contra civiles, a partir del 1 de enero, según publica el diario *El Universal*.

Y el anuncio provocó más terror. Porque los civiles, muertos, siempre han estado ahí, desde que comenzó esta guerra contra el narco. Para el gobierno del presidente Calderón la mayoría son narcos: te matan en un restau-

---

* Corriendo.

** Pequeño.

rante al salir de la chamba con tus compañeros de la maquiladora. En un centro de rehabilitación para personas con adicciones a las drogas o celebrando un cumpleaños en un exclusivo bar de la ciudad. Ocurre todos los días. En lugares públicos o privados.

Los muertos seguirán si no se combate el delito, si continúa la impunidad y la corrupción: el mejor caldo de cultivo para el crimen organizado y el común.

De la falta de acción, bombas en mochilas abandonadas —debajo de los automóviles o en un edificio— pasarán a formar parte del paisaje de Juárez, según expertos como el criminólogo Óscar Máynez. «Es un proceso de evolución esperado. Son crímenes anticipados y anunciados. El único responsable es el Estado. Hay que ver por qué no está actuando, si no tiene la capacidad, si no quiere, si está coludido», añade.

El colega al que empujé del brazo tiene su zapato lleno de sangre por un «evento» anterior:

—Pisé la masa encefálica de uno de los dos ejecutados. No la vi, razona.

El coche sigue ahí. El cadáver, también. Nada explota. Nos queda la duda y más chamba de dolor.

En un día: el saldo de la muerte del miércoles 30 de diciembre en Juaritos es de diez muertitos *más cinco en El Valle de Juárez a las afueras de la ciudad.*

Algunos autobuses del precario transporte público de la ciudad decidieron no salir hoy a las calles. El martes uno de ellos fue rafagueado con quince pasajeros dentro por no pagar una extorsión de 10.000 pesos (unos 827 dólares). Fue un aviso sin muertos. Algunos ruteros huyeron a El Paso. Están pidiendo asilo. Como tantos otros.*

Antes varios camiones habían sido incendiados o chocados contra establecimientos. Además asesinaron a chóferes. En estos

* Chóferes.

autobuses los trabajadores de la industria maquiladora van a su empleo.

Mi suspiro culpable: él estaba vivo, catorce más no

Lunes 3 de enero de 2010

Lo llamé para saber si estaba vivo.

Oigo sirenas al otro lado del teléfono y mi suspiro culpable: el que sale de las entrañas revolucionadas ante la alegría de saber que no era él, pero que al final eran otros.

—Soy Judith. Estás ahí... ¿no? —pregunté.

—Afirmativo... Con uno de ellos estuve en un curso... —respondió el agente de la policía ministerial, una de mis fuentes. Casado y padre de familia.

Acababa de escuchar en el escáner que dos ministeriales habían sido acribillados en la refaccionaria Coronado, ubicada en la Óscar Flores y Ramón Rivera Lara, pasadita la 1.00 de la tarde de este lunes de enero, ya de 2010. Pero dispuesto a ser tan mortífero como 2009 y 2008, cuando se inició la llamada guerra contra el narcotráfico. Donde el Cártel del Chapo Guzmán —sí, el mismo que se escapó misteriosamente de una prisión de alta seguridad con el recién estrenado Partido de Acción Nacional (PAN) en el poder presidencial de Vicente Fox— intenta hacerse con la codiciada plaza de paso de las drogas hacia Estados Unidos, desplazando al Cártel de Juárez.

Los cadáveres, que ahora están rodeados por unas veinticinco patrullas de la Agencia Estatal Investigadora y varias mujeres en crisis nerviosa, son los de Carlos Alberto Gómez, de 23 años, y Edder Germán Castillo Molina, de 25 años. Con cartelitos amarillos las autoridades señalan los casquillos percutidos, uno por uno hasta contar cincuenta de los calibres 40 y 9 milímetros.

A su comandante Francisco Lazarín Núñez le tocó pasar algo parecido hace menos de tres meses. Fue en el bar Pockets, entre el bulevar Óscar Flores y Zaragoza, donde fue ejecutado.

Los ministeriales asesinados pertenecían a la Unidad Especializada en Investigación del Delito de Robo.

Es la 1.30 de la tarde y, si no me equivoco, llevamos siete asesinatos en este hermoso día de invierno con el sol bien chido* y ese azul sin nubes del cielo inmenso del desierto de Juaritos que se convierte en un torbellino de colores a eso del atardecer, cuando la temperatura baja ferozmente: los dos chavos están a unos veinte metros de los quince casquillos percutidos: de un carro plateado vacío situado enfrente de una casita de color verde con una verja blanca. La vivienda tiene las puertas abiertas.

Está en la calle General Motors, que hace esquina con la Jerónimo Balleza, justo donde comienza el desértico —porque es de arena y no hay nadie— Parque Scientific Atlantic, llamado así por la fábrica maquiladora que lo donó para los trabajadores de la zona.

Los niños rondan en bicicletas por la carretera mientras las mamás siguen conversando sin ver que por un segundo de suerte un carro no atropella a una niña con sudadera** color rosa mexicano. Una señora, con su pequeño que le corretea entre las piernas, vende donas en la esquina. A un peso. Es decir, trece por un dólar.

En esta calle del fraccionamiento obrero Torres del Sur, al suroriente de la ciudad, todo parece normal a eso de las 4.30 de la tarde. A no ser porque la policía municipal cortó la calle General Motors.

—Nadie dice nada —se queja el municipal.

---

* Hermoso.

** Jersey.

Así que no se sabe lo que pasó. O se sabe muy mal. Como casi siempre.

—¿Qué onda, campeones, vieron algo? —pregunto a un grupo de seis niños de entre 8 y 10 años.

—Yo, no. Mi hermano y otro iban en el carro. Se lo prestó Giovanni para dar una vuelta y les persiguieron. El de la sudadera negra es mi hermano. Él le dirá mejor.

Él es uno de los chavos que está más cercano a los casquillos percutidos. Al acercarme al chico —alto, con ojos verdes en una tez con signos de acné y cara de niño bueno— me comenta que no vio nada. Al decirle que yo le vi en el carro, sonríe y me cuenta, supongo, lo que le da la gana. Y añade, además, que tiene 17 años, que una camioneta modelo Explorer dorada comenzó a perseguirlos, en ella iban tres señores y «una señora» (de unos 30 años) y que éstos comenzaron a disparar.

—¿Y no tienes miedo de estar todavía aquí y que os maten? ¿Los policías saben que vosotros sois los del carro?

—No, ellos no saben nada. Los policías llegaron, es más seguro (estar aquí) que irse a la casa.

Unas horas más tarde regresé: la vivienda donde estaban los casquillos fue tiroteada. Quemaron dos autos. A veces es así el vocabulario de las amenazas.

La muerte se tomó un descanso hacia las 6.30 de la tarde.

Con catorce asesinatos (desde que 2010 nos sorprendió hace cuatro días, han sido asesinadas treinta y ocho personas, entre ellas tres mujeres y dos menores de edad, según la Subprocuraduría de Justicia de la Zona Norte).

Después siguieron las extorsiones que no se denuncian, los secuestros, las desapariciones. Como todos los días. Y los gestos que intentan convertirse en escudos de protección inútiles, como entrar a un restaurante y sentarte alejado del resto y cerca de los baños por si comienza una balacera. Ayer domingo asesinaron, hacia las 8.00 de la tarde, a una pareja en el restaurante de la cadena estadounidense Applebees, uno de esos lugares en que uno piensa que puede estar seguro. Hasta que se equivoca. Y el peligro se convierte en muerte.

Niños testigos de crímenes

Domingo 17 de enero de 2010

Escena 1

—¿Has soñado eso, Rolando, que te disparan por la espalda y te matan? —dice Erik tras ver su quinta ejecución.

El pequeño, de 10 años, mueve la cabeza para dar un sí.

Conversación entre dos niños. Tras una balacera que ellos vieron. El cadáver está en el suelo. Llega la policía con el ejército. Los federales. Colonia obrera Torres del Sur.

Erik da vueltas con su bicicleta por una de las calles pavimentadas. Rolando lo acompaña caminando.

Escena 2

—Mi primo es el de sin cabeza —exclama orgullosa Cindy, de 8 años.

—¡¡¡No manches!!!* —contestan al unísono el resto de los niños que la acompañan.

En el Paseo Triunfo de la República, una de las principales vías de la ciudad, varios niños se disputan el número de cadáveres que han visto. En sus horas de juego recrean los instantes mortales y juegan a ser sicarios. Ahora están asistiendo en directo al espectáculo de la muerte.

* ¡No me digas!

Escena 3

Colonia Salvárcar. Y el pequeño Juan, que apenas puede caminar y hablar, a sus 2 años, está viendo su octavo cadáver. En los brazos de su mamá, Claudia V., de 19 años.

Ella mira porque «no hay nada que hacer».

Llegan los vecinos y la acompañan. El sonido de la televisión con telenovelas de algunas de las casas se escucha en la calle.

Observación: Todo es real. Como sus consecuencias. La inmunidad al dolor que crea una cultura más violenta, sangrienta y más joven. En las escenas de los crímenes, al más estilo Hollywood, sólo faltan los dulces para el público.

Ninguno de los niños, testigos de estos crímenes, pertenecen a los más de 10.000 huérfanos en Ciudad Juárez.

El gobierno de México anunció el 15 de enero de 2010 que el ejército ya no estará al mando de la Operación Conjunto Chihuahua, de la guerra contra el narco en el estado donde se encuentra la que es considerada la ciudad más violenta del mundo. Serán los policías federales. Lo hace tras una reunión binacional que comenzó el jueves en El Paso y Ciudad Juárez.

El ejército continuará apoyando a la policía municipal en sus labores. No se anuncia ningún plan de inteligencia: igual que hace veintiún meses cuando se inició en Juárez la guerra con la que era la institución más respetada dentro de las fuerzas del orden y los muertos se dispararon: más de 4.400 hasta hace unos minutos.

Tampoco se habla de si las quejas de Amnistía Internacional y otros organismos por la violación de derechos humanos estuvieron en la mesa de trabajo que llevó a cambiar de mando la operación: con desapariciones y muertos atribuidos a los militares, según la Comisión Estatal de Derechos Humanos.

El gran cambio, el nombre. El nuevo es: Operación Coordinada Chihuahua. Y el nuevo coordinador estatal de la Operación es Vidal Díaz Leal Ochoa, fue uno de los seis jefes policíacos de la Policía Federal Preventiva que fueron cesados por su actuación en un suceso con un comando armado en Cananea, en el estado de Sonora, que provocó la muerte de veintiséis personas el 18 de mayo de 2007.

Los crímenes han bajado en estos días. Hemos pasado de entre diez y quince diarios a unos cuatro, seis y dos. La historia parece repetirse: los cambios en las unidades del ejército coinciden con el descenso de los crímenes. Hasta que todo vuelve a la normalidad de la muerte constante. Y el horror: con sus gritos que golpean las entrañas de mi querida Ciudad Juárez.

De soñar con ser Superman a ser soldado

Domingo 24 de enero de 2010

Desde pequeño siempre soñó con ser Superman. Ahora lo es. A su manera. Tiene un arma que se desliza por la mitad de su cuerpo, enfundado en un uniforme de soldado que le da una cierta hombría a su cara de niño bueno. También tiene 20 años.

Nació en un rancho del estado de Guerrero. Su madre crió sola a los seis hermanos. Hubo días en los que no había ni para frijolitos*. Para llegar hasta la escuela tenía que caminar unas dos horas.

A los 12 años un día vinieron a la escuela para ofrecerle un futuro de color más o menos verde, como el de la esperanza. Les hablaron de los beneficios de ser miembro del Ejército Mexicano y él, como muchos de sus compañeros, comenzó con la idea en la cabeza. A otros los reclutó el narco. O el sueño americano.

* Alubias.

El resto de los soldados, a los que acompaño en un operativo por Ciudad Juárez, dicen que decidieron serlo porque les gustan las armas desde niños, la acción de las pelis gringas: un soldado de allá, nada más cruzar el puente fronterizo hacia El Paso hubiera contestado, con gran probabilidad, que es soldado para servir a Estados Unidos.

Ahora duerme «como un perro». Y con sus manos dibuja los gestos para describirme la postura. Lo hace en una pequeña tienda de campaña que él mismo tuvo que comprar. Y que se encuentra en uno de los campamentos militares instalados en una antigua fábrica.

Es un chavo feliz: a esa hora en la que comienza a subir la adrenalina, con la velocidad en las unidades por las calles sin pavimentar y el polvo del desierto que se incrusta en la garganta en una noche alumbrada por una regordeta luna.

Parece ser que han descubierto una casa con droga. Hay varios vehículos afuera. Sospecha. Algunos con cristales polarizados. Aumenta la sospecha, según ellos. Saltamos de los vehículos e invaden la casa, como en Hollywood, y al entrar vemos un cadáver: rodeado de mujeres, niños y mayores. Está en un ataúd. Al muerto lo están velando. Y los soldados retroceden. Ni modo.

La noche no ha hecho más que empezar.

A los abusos de algunos de los más de 7.000 militares enviados por el presidente Calderón para la guerra contra el narco se suman ahora las nuevas fuerzas de seguridad destinadas en Juárez.

Javier González Mocken, que dirige la oficina municipal de quejas y denuncias contra los militares y federales, explica que los que más han denunciado esta situación son los dueños de bares y *yonkes* de carros.

Todo comienza así: los policías federales llegan para solicitar una revisión del establecimiento en busca de armas y drogas, y al final, al no encontrar nada, les proponen que les den un dinerito o les siembran supuestas evidencias de droga.

Algunos «hombres vestidos de negro» pueden estar haciéndose de oro. Porque no todos se atreven a denunciar las extorsiones, el gran negocio en la ciudad sin ley, mientras a la ciudadanía se la mata, secuestra o se le roba bajo el imperio de la impunidad en una Juaritos militarizada.

Una calle, un velatorio de dos hermanos, dos primos y 16 chavos

Martes 2 de febrero de 2010

Acabo de tomar un café. Rodeada de cadáveres. Nada más llegar a mi Juaritos esta tarde.

En Nueva York, donde me encontraba por unos días disfrutando de mi anterior vida, lo primero que hice fue perderme por el Metropolitan Museum.

Y me invitaron a una fiesta de unos ricachones que se pusieron hasta la madre* con cocaína. Buenas gentes, a su modo. Dieron no sé cuánto dinero para los damnificados del terremoto de Haití. Pero a ellos no los mataron por su consumo de drogas. Los muertos los pone Ciudad Juárez: más de 4.400 en veintidós meses.

Luz María Dávila está con sus dos únicos hijos. En ataúdes. Su casita está ubicada a unos metros de donde fueron ejecutadas, el sábado, dieciséis personas durante una fiesta estudiantil.

Primero está José Luis Piña, de 16 años, y tras el refrigerador, Marcos, de 19, un estudiante de relaciones internacionales en la Universidad Autónoma de Ciudad Juárez.

Los amigos y familiares permanecen en la calle: no hay lugar para velarlos en la casita en la que vive con los

---

* Hasta los cojones.

700 pesos (unos 57 dólares) semanales que gana en una de las fábricas maquiladoras que forjan la riqueza del primer mundo en la frontera de México con Estados Unidos.

El mismo paisaje se repite a la entrada de tres casas de los jóvenes: botes de basura convertidos en calentadores de leña, sillas que forman corros interminables. Mensajes en cartulina de impotencia. Que piden justicia. Y café en un termo, para sobrevivir a la larga y fría noche.

Los militares enviados por el presidente Felipe Calderón pasean por la calle de esta colonia obrera llamada Villas de Salvárcar. Ahora están aquí: con los muertos. Pero el día en que los jovencitos estaban vivos no llegaron.

Algunos expertos se preguntan cómo un comando armado de cinco vehículos pudo bloquear las calles y realizar su masacre sin que ninguna de las fuerzas federales los viera.

«Le pedimos ayuda al extranjero porque no creemos que el detenido sea el culpable», me dice Patricia Dávila, tía de los dos hermanos.

(Las autoridades presentaron esta tarde al «sicario» que confesó con pelos y señales en directo a un agente del ministerio público, por qué y cómo los mataron mientras los periodistas asistían calladitos a la ceremonia. Nunca, que yo recuerde, había habido antes tanta interacción, en directo, con el presunto inculpado. Ahora la presión es mucha: Juaritos es noticia, vuelve con fuerza a estar en cada rincón del universo).

«Nos da coraje que se diga eso, que los muchachos estaban en el narco. Es falso, lo que quieren es dar el carpetazo y olvidarse de todo, como siempre», agrega la tía con firmeza.

El universitario José Luis Aguilar, de 19 años, descansa junto a su primo Horacio Alberto Soto, de 16 años y estudiante del bachillerato. Las paredes de la casa están empapeladas de fotos de los dos, en muchas están abrazados. Hay una que destaca en medio de todas. Es la de un chico jugando a béisbol.

«Es mi hijo José Luis», dice este chófer de autobuses que prefiere mantener su nombre en el anonimato. Él no quería ir a la fiesta porque tenía un partido de béisbol y tenía que madrugar mucho. Vinieron los amigos y dijo que regresaría en veinte minutos. Pero nunca regresó».

Los disparos los escuchó su padre, mientras intentaba conciliar el sueño.

Desde el sábado ya no duerme: sólo piensa en los porqués. Y en cómo huir. Igual que tantos juarenses.

Niños que entierran a niños

Miércoles 3 de febrero de 2010

No sé cómo empezar a contaros lo que viví hoy. El enterrador Manuel Cano, de 40 años, tampoco tiene palabras. Son sus ojos llenos de lágrimas los que dibujan su sentir. Como el cielo de Juárez que dejó de ser de azul intenso para convertirse en un gris feroz con una incesante lluvia durante casi todo el día.

Y Cano ha visto muchos ataúdes. Más de 6.000. Pero estos últimos han sido los más duros en su década en el cementerio.

«Ciudad Juárez está masacrada. Es una ciudad fantasma. Ya no hay futuro», comenta mientras echa las últimas palas de tierra a otra tumba, son siete situadas en hilera.

El enterrador continúa, cubriendo las tumbas que él mismo cavó. Mientras escucha exclamaciones como: «Chuy, ¡¡¡presente!!!». «¡Te queremos!». «¡A la bin, a la ban! ¡Chuy, Chuy y nadie más!». Y otras porras* para las otras seis tumbas.

* Vítores.

Jesús Armando Segovia, *Chuy*, tenía 15 años. Aunque en su cruz blanca le pusieron otros dos más. Por sus calificaciones era un excelente estudiante y deportista. Para las autoridades, un miembro más de una pandilla. Para muchos, ésta es la manera de justificar lo que no se quiere investigar conforme a la ley: cuando la presión social y política es la que mueve las decisiones. Igual que con los feminicidios. O peor tras más de diecisiete años de impunidad y de un sistema de justicia fallido.

Chuy era uno de los dieciséis chavos que fueron asesinados el sábado en la fiesta estudiantil, y uno de los siete que fueron despedidos en la misma calle, en la misma iglesia, en el mismo cementerio. Eran vecinos.

Sus amigos los entierran. Son niños enterrando a otros niños. Tienen entre 13 y 19 años, más o menos como los otros ejecutados, convertidos tras su muerte en pandilleros y narcotraficantes. Están más cerca de la niñez, por su inocencia, que de la adolescencia: por la forma en que la visten.

Por su educación era la poca luz de la colonia obrera Salvárcar, donde la mayoría de los residentes trabajan en las maquiladoras. Pero la esperanza fue masacrada. En una ciudad militarizada.

Al cementerio no acudió ninguna autoridad. Tampoco a la misa de cuerpos presentes. Minutos antes de que el cortejo fúnebre se dirigiera hasta la iglesia, el gobernador del estado de Chihuahua, José Reyes Baeza, llegó a las casas de las víctimas para expresar sus condolencias a las familias. Éstas le esperaron con cartelones. Pidiendo justicia.

«Usted tiene guardaespaldas que le protegen pero nosotros no tenemos ni dinero para comprar un arma y defendernos», le increpó Patricia Dávila, tía de los dos hermanos asesinados, mientras el gobernador huía del lugar.

El presidente Calderón, artífice de su llamada guerra contra el narcotráfico, está de viaje oficial en Japón. Mientras en

Ciudad Juárez piensan que está en otro mundo, porque su versión de la masacre aquí suena a chino. Calderón afirma, sin investigar, que el ataque fue cometido «probablemente por otro grupo con el que, es una de las hipótesis, tenía cierta rivalidad».

Su guerra ha dejado en Juárez más de 4.500 muertos desde que comenzó hace veintitrés meses y unos 10.000 niños huérfanos. Las extorsiones, secuestros y robos son cotidianos en una comunidad militarizada. La ciudad ha suspendido sus pobres partidas de infraestructura y ayuda social para pagar a los 8.000 militares y unos 3.000 federales enviados por el presidente.

Ahora el peligro en Ciudad Juárez está en estar vivo.

Matanza viva

Sábado 6 de febrero de 2010

Hoy sábado 6 de febrero, una semana después de la masacre estudiantil, os escribo siguiendo una promesa. Se la hice a Dolores Torres hace unas horas en la misma calle de la matanza. Dolores tiene 84 años. Madre de una hija y de dos nietos que no pueden dormir, desde que escucharon los balazos y vieron a sus vecinos muertos.

Nunca me habían pedido esto. Lo hizo tomando mis manos y llorando:

«Usted como prensa es el cuarto poder. No deje que Juárez desaparezca, se lo pido por favor. Mi hija va a huir pero yo me pienso quedar aquí. Es mi patria y no la voy a abandonar, menos ahora cuando más me necesita. El silencio provoca injusticia, sólo los muertos se quedan en silencio. Y moriré con el espíritu de lucha de mis familiares, ellos eran revolucionarios de Pancho Villa».

Y Dolores lo dice en el patio de su hogar, colindante con las tres casas donde fueron acribilladas veintiocho personas, de las cuales quince murieron (antes las autoridades anunciaron que eran dieciséis: incluyeron a una adolescente asesinada cerca de donde ocurrió la masacre estudiantil). Me lo pide bajo la mirada de unos agentes que están en dos camionetas de la Cipol (policía estatal), que al ver que sacaba mi grabadora para entrevistar a Dolores, se han acercado dos de ellos (llamados Esparza y Guerrero) para preguntarme mi nombre y el medio en el que laboro.

Ella vio cómo mataron a su vecino de enfrente, que salió a buscar a su hijo cuando comenzó a escuchar los disparos. Con ella permanece un recuerdo que le asalta: la mirada de uno de los adolescentes con dieciocho tiros en el cuerpo: «Me acerqué y lo abracé, y me dijo: "hable con mi mamá"».

Observó que las ambulancias llegaron una hora y media después de la masacre a pesar de que la clínica del seguro social se encuentra a cinco minutos en carro de donde fue el ataque.

Y también vio cómo los militares, federales y policías se presentaron cuarenta minutos después de la masacre a pesar de que la estación de policía Bitácora está a unos siete minutos del lugar. En una ciudad donde se vive con retenes militares debido a la llamada guerra contra el narcotráfico.

La calle Villas del Portal está sola. Es sábado, el sol brilla con fuerza bajo un azul poderoso. De pronto tres mujeres surgen entre la soledad. Una de ellas lleva una enorme biblia en sus manos. La otra, una más pequeña. La tercera, un botecito de color verde. Y comienzan a acercarse a cada una de las casas de la matanza. Rezan, las ungen con aceite, para después continuar con el resto de la calle.

«No tenemos miedo, confiamos en el señor», afirma Alicia Guerrero, de 55 años, madre de cuatro hijos.

La calle Villas del Portal es un fantasma de horror con casas que son abandonadas por los vecinos: ocho, por ahora.

Muchos de ellos se refugian en otras partes de la ciudad, con amigos y familiares hasta que puedan conseguir dinero para huir al interior de México.

«Los conocía desde niños, los mejores estudiantes, deportistas, buenos hijos que ayudaban a sus padres, que estudiaban y trabajaban. No eran pandilleros ni narcos como el presidente Calderón quiere hacer creer a la gente», dice uno de los vecinos, que prefiere no dar su nombre por temor a represalias.

Es la 1.00 de la tarde. La colonia comienza a ser tomada por los militares y los federales. Esto se produce unos diez minutos después de que los vecinos se reúnan en una asamblea pública en el parque de la Colonia Villas de Salvárcar, a unas dos cuadras* de la matanza.

Están organizando una serie de acciones para proteger su colonia. Acuerdan que no dejarán que se instalen casillas electorales para votar hasta que se haga justicia y que las fuerzas federales dejen la ciudad y el presidente de México renuncie. También dicen que exploran la idea de lanzar como candidato a alcalde a una de las madres de las víctimas y como ediles a los adolescentes muertos «para que no se rían más del pueblo».

El próximo sábado se manifestarán en uno de los puentes internacionales que unen Ciudad Juárez, la ciudad más peligrosa del mundo desde hace dos años, con El Paso, Tejas.

En la reunión tres madres se abrazan sin que de su rostro salga una lágrima. Éstas las guardan para la noche, cuando se encierran en sus casas y encuentran la soledad.

Llevan tres carteles: «Calderón asesino de estudiantes». «Pedimos justicia para los estudiantes caídos» y «Pedimos ayuda a los países extranjeros».

«No vamos a dejar Ciudad Juárez. Vamos a luchar por nuestros hijos muertos y los vivos», dice Luz María

---

* Manzanas.

Dávila, madre de Marcos Piña, de 19 años, y José Luis, de 16. Los dos únicos hijos que esta trabajadora de una maquiladora quiso tener con su esposo para darles un mejor futuro.

Y lo consiguió. Hasta que los mataron. Al ser asesinados las autoridades los convirtieron en pandilleros. Como al resto de los chicos que estaban en la fiesta donde no se encontró ni una botella de alcohol y era supervisada por una madre que se debate entre la vida y la muerte.

Para el presidente Calderón, el alcalde José Reyes Ferriz y el gobernador José Reyes Baeza, los jóvenes asesinados son miembros del crimen organizado, lo que en Juárez significa que sus muertes están justificadas.

Hoy nueve *muertitos* más en Juárez.

Al desnudo: la visita del presidente Calderón a Ciudad Juárez

Jueves 11 de febrero de 2010

Os voy a contar lo que hubo hoy detrás de la visita del presidente de México a Ciudad Juárez.

El presidente Felipe Calderón pensaba reunirse con las familias de las quince personas asesinadas el 30 de enero en la colonia obrera Villas de Salvárcar. Cuyas muertes justificó al declarar que se trataba de pandilleros.

Una de las familias, la formada por Luz María Dávila y su esposo, José Luis Piña, no acudió a la cita formal con el presidente. No querían que la reunión se celebrara a puerta cerrada, como las dos anteriores con el alcalde José Reyes Ferriz —en la que les ofreció una visa láser estadounidense y dinero para su mudanza— y otra con el secretario de gobernación Fernando Gómez Mont, donde la lista de ofrecimientos incluía botones de pánico, despensas alimenticias y celulares sin saldo.

«No vendemos la sangre de mis dos niños», me comentó, decidida, Luz María.

En Casa Amiga —el centro que eligió el presidente Calderón la víspera de su visita para realizar la reunión— se encontraron con una gran sorpresa una hora antes de su llegada.

Todo el personal, incluida la directora, fue encerrado en la cocina por tres horas, según confirman varias de las empleadas de Casa Amiga. En su «secuestro», como lo calificaron ellas, estuvieron acompañadas por un soldado dentro de la cocina y otro que permaneció fuera para asegurar que sólo salieran para ir al baño.

En la reunión, de aproximadamente dos horas, las familias estuvieron con el presidente Calderón y su esposa, el gobernador de Chihuahua Reyes Baeza con su señora y el presidente municipal de Ciudad Juárez sin su mujer. Calderón y su esposa se sentaron en sillas cercanas a los familiares. Y se disculparon por el error de haber declarado que los estudiantes eran pandilleros: como si la vida de los que lo son no valiera nada.

«Dejaron a las familias muy indefensas», se quejó uno de los miembros del equipo de Casa Amiga, una organización que atiende gratuitamente a víctimas de la violencia. «Lloraban, les suplicaban justicia», añade. Fue lo poco que pudo escuchar.

El personal de Casa Amiga discutió con los altos mandos militares que decidieron hacer la reunión a puerta cerrada, sin la prensa, y encerrados en la cocina. Los del ejército mexicano argumentaron que eran instrucciones del presidente de la República.

Las familias que estuvieron presentes no quisieron comentar nada de lo acontecido. Se quedaron calladas. Y con el temor en el rostro.

Estoy segura de que esta situación no hubiera pasado si Esther Chávez Cano, fundadora de Casa Amiga, viviera. Ella los hubiera dejado en la calle. Al presidente y a todas sus promesas. En silencio.

Después de «ocupar» Casa Amiga, el presidente Calderón se dirigió al Centro de Convenciones Cibeles, el más lujoso de la ciudad, para presentar —en una reunión abierta para la prensa— su plan social: «Todos somos Juárez, reconstruyamos la ciudad», ante un selecto grupo de unos 400 juarenses.

Desde que el presidente de México comenzó su llamada guerra contra el narcotráfico hace veintitrés meses, han sido asesinadas más de 4.500 personas. Además se han disparado las extorsiones, los secuestros y los robos en una ciudad militarizada, de constantes retenes.

Hasta ahí pudieron colarse los padres de la universitaria Mónica Janet Alanís Esparza, desaparecida desde el 26 de marzo del pasado año. Unos doce representantes de los medios de comunicación comenzamos a entrevistar a la mamá, a Olga Esparza, pero al segundo los voceros de diversas autoridades del estado acudieron con su personal de seguridad para empujarnos hacia la puerta de entrada del salón, mientras decían que el presidente ya había llegado, y que entráramos al recinto. Todavía faltaban dos horas para que el presidente estuviera en el Centro de Convenciones Cibeles, ya que se atrasó.

Tuvieron sólo dos hijos. «Para darles lo mejor». Eso fue lo que decidieron Luz María Dávila y su esposo, José Luis Piña, un guardia de seguridad que trabaja en la misma maquiladora donde lo hace ella. Y en la que laboraba por las mañanas su hijo mayor, Marcos de 19 años, para después ir a la Universidad Autónoma de Ciudad Juárez donde estudiaba Relaciones Internacionales. El otro, José Luis, de 16 años, estaba en la preparatoria y trabajó hasta unos días antes como empacador en un supermercado, hasta que se quedó sin chamba.

Ahora «lo mejor» para este matrimonio es buscar justicia. A los verdaderos culpables. Y que nunca más nadie muera en Ciudad Juárez, que se pueda vivir en paz en la ciudad que les dio todo desde que emigraron a los 19 años desde la Ciudad de México.

El día en que el presidente Calderón vino a Juárez su esposo fue a la chamba y Luz María consiguió entrar a la reunión del selecto grupo de invitados. La acompañaba su hermana mayor, Patricia, que tras realizar su turno de noche en una maquiladora, se unió a Luz María, una mujer tímida y estricta con sus hijos, ya asesinados, según reconoce.

El resto lo saben. Me imagino. Porque se convirtió en la noticia principal de la mayoría de los medios mexicanos y algunos extranjeros: cuando el presidente Calderón comenzó a dar su discurso, Luz María y su hermana se levantaron, con varias activistas y le dieron la espalda. A pesar de que el personal de seguridad del presidente se acercaba para ordenarles que se sentaran.

A las dos horas de las intervenciones de las autoridades Luz María quiso desahogarse, decirle al presidente todo lo que muchos juarenses no pueden decirle, según me contó después. Y esa mujer pequeña de estatura, se levantó de su asiento, forcejeó con elementos de seguridad y llegó a plantarse enfrente del presidente Calderón y de su esposa, Margarita, cuando el público estaba aplaudiendo la intervención del gobernador del estado de Chihuahua.

«Discúlpeme, señor presidente, pero no le doy la mano porque usted no es mi amigo. Yo no le puedo dar la bienvenida porque para mí usted no es bienvenido», le reclamó bajo la mirada atónita de todos.

«Y el Ferriz (alcalde) y el Baeza (gobernador) siempre dicen lo mismo, pero no hacen nada señor presidente, y yo no tengo justicia, tengo muertos a mis dos hijos, quiero que se ponga en mi lugar»... y continuó haciendo gestos con sus manos, moviéndose unos pasos de un lado a otro.

La madre le exigió una disculpa pública: «No es justo que mis muchachitos estaban en una fiesta y los mataron, quiero que usted se disculpe por lo que dijo, que eran unos pandilleros. ¡Es mentira! Uno estaba en la prepa y otro en la universidad, no estaban en la calle, estudiaban y trabajaban». «Porque aquí hace dos años se están cometiendo asesinatos, se están cometiendo muchas cosas y nadie hace algo. Y yo sólo quiero que se haga justicia, y no sólo para mis dos niños, sino para todos».

El presidente, sentado, le dijo: «Por supuesto». Pero para la madre no fue suficiente. «¡No me diga por supuesto!, ¡¡¡Haga algo!!! Si a usted le hubieran matado a un hijo, usted debajo de las piedras buscaba al asesino, pero como yo no tengo los recursos, no los puedo buscar...».

Algunos miembros del auditorio aplaudieron mientras se dirigía a su asiento y comenzó a llorar arropada por varias activistas. La esposa del presidente se levantó de su asiento y la siguió. Luz María abandonó la sala, se desmayó por unos segundos, y tras recuperar fuerzas se unió al grupo de estudiantes que estaban siendo agredidos por las fuerzas federales a unos 500 metros del recinto.

Minutos antes de que Luz María comenzara a increpar al presidente de México, el secretario de Gobernación salió al encuentro de los estudiantes, por órdenes del presidente. Lo hizo tras tres interrupciones del público en el que se le advertía que no podían estar celebrando esta reunión con la represión que estaban recibiendo los estudiantes, que pedían estar presentes en este encuentro.

Cuando algunos periodistas intentamos ir tras el secretario, varios agentes de seguridad situados en la puerta de la sala nos impidieron salir del recinto.

Acudí a la manifestación de los estudiantes cuando Luz María finalizó su discurso. Y tras discutir de nuevo con los agentes para que me dejaran salir. Ahí me encontré con tres personas que decían haber sido secuestradas, por unas tres horas, en un callejón por las fuerzas federales. Éstas habían acudido al rescate de los estudiantes, cuando recibieron mensajes de texto pidiendo auxilio por las golpizas de las fuerzas federales. Las tres personas eran: dos visitadores de derechos humanos, Carlos Gutiérrez y Luz Elena Mears. Y un pastor cristiano: Juan Badillo, de la iglesia Viento Recio.

Los cerca de cincuenta estudiantes estaban sitiados por los policías federales y con un tanque de los soldados que les apuntaba. Muchos de ellos presentaban heridas y rasguños en el cuerpo, y uno se había quedado sin lentes porque lo tiraron violentamente al suelo. Algunos de ellos intentaban explicarle al secretario Gómez Mont que el ejército debía marcharse, que desde que llegaron habían sido asesinados estudiantes y profesores universitarios, entre los miles de ejecutados. Y que desde su presencia no se podía vivir en Ciudad Juárez.

El secretario de Gobernación fue despedido por los estudiantes a gritos: «¡¡¡Asesino, asesino!!!».

En cambio, cuando el presidente Calderón entró a la sala de Cibeles para exponer su plan social fue recibido con la música de «Bésame mucho», para después dar paso al himno mexicano que comienza así: «Mexicanos al grito de guerra...».

Luz María regresó hoy a su chamba y Jessica grita la inocencia de su esposo

Lunes 15 de febrero de 2010

Ésta es la historia de dos mujeres: unidas por el mismo dolor de diversos matices. Con las que conversé esta tarde.

En la mañana estuve en las mesas de trabajo previas para concretar el plan «Todos somos Juárez» anunciado el miércoles por el presidente Calderón.

Una, Luz María Dávila, me cuenta que hoy se incorporó a su trabajo, tras el asesinato de sus dos únicos hijos en la masacre estudiantil de la colonia Villas de Salvárcar.

«El regreso fue un poquito difícil. Salí corriendo de la fábrica», dice Luz María. Hace dieciséis días ella trabajaba junto a su hijo mayor, Marcos, de 19 años. Ahí los dos unían pieza con pieza para dar forma a las bocinas para automóviles.

Al finalizar la jornada laboral, ella se iba para la casa para enchilar a toda su familia con sus deliciosos platillos mexicanos. Y él, para la universidad.

A veces le alcanzaba el tiempo de poder abrazar a su esposo, José Luis Piña, un guardia de seguridad que tenía el turno de la noche en la misma maquiladora.

Ahora Luz María, esta mujer que conmocionó a la opinión pública nacional e internacional cuando desahogó su dolor e impotencia frente a Calderón, recibe llamadas de decenas de medios de información de todo el mundo e incluso el gobernador de Chihuahua, José Reyes Baeza, la invita personalmente a una reunión para mañana martes a las 11.00 de la mañana en un hotel de Ciudad Juárez.

«Disculpe pero yo entro a trabajar y no puedo», le contestó Luz María, que gana 700 pesos a la semana (unos 57 dólares).

El dolor por la masacre de Salvárcar también se ha convertido en una pesadilla para Jessica Rodríguez, de 23 años, la esposa del Israel Arzate Meléndez, de 24, el presunto sicario que convirtieron en culpable antes de ser juzgado.

Jessica ha intentado buscar un abogado, pero nadie quiere tomar su caso.

«Es algo político», dice.

Está defraudada de la defensa pública ofrecida por el estado a Arzate, la abogada Rosa Bailón Payán que tardó más en maquillarse después de una audiencia previa celebrada el pasado miércoles, que en defender a su cliente de las acusaciones del ministerio público.

El esposo de Jessica dice que confesó la autoría de los hechos tras sufrir torturas físicas como quitarle una uña o toques eléctricos. Lo que le llevó a aprenderse de memoria lo que los soldados querían fue la amenaza de violar a su esposa y matar a su madre, según dice la familia.

—Procuradora Patricia González, me permitiría hacerle una pregunta.

—Con mucho gusto —me contesta.

—Israel Arzate Meléndez dice que confesó los crímenes porque lo habían torturado... ¿Cuál es su respuesta?

—Hablamos mejor en mi oficina.

—¿Dígame si lo torturaron?

—No, no hubo torturas.

Un trabajador del establecimiento Del Río, situado en la calle Insurgentes, dice que Israel hizo compras hacia las 11.30 de la noche, la hora cercana a la masacre. Fueron unas sodas y frituras de maíz, que compartió en una reunión familiar. El vídeo de la tienda, en el que se graban los acontecimientos ya no existe, según Federico de la Vega, el dueño de estos establecimientos y uno de los empresarios más ricos de Ciudad Juárez.

«Se borró a las treinta y seis horas», dice el millonario.

El federal con mucha lana

Sábado 20 de febrero de 2010

Él me miraba. Como si quisiera sorprenderme. Sacaba su manojo de billetes al pagar un perfume. Después repetía el mismo gesto para comprar una cámara fotográfica y unos CD.

Lo que estaba acompañado de otros cinco que hacían lo mismo. Lo que casi nadie hace ahora en Ciudad Juárez:

comprar. Son las 18.30 de la tarde del viernes 19 de febrero en una tienda-restaurante Sanborns de Ciudad Juárez. Y el que me mira es un policía federal. En uniforme y enfundado en sus armas.

Al rato me sonríe y me pregunta qué estoy leyendo, qué libros me gustan y si quiero acompañarlo a tomar un tequila.

Los federales siguen llenando el recinto. Entran por una de las puertas que comunican con uno de los mejores hoteles de la ciudad con Sanborns. Se dirigen a diversos mostradores: para comprar antes de cenar en el restaurante.

Las meseras me cuentan que desde que llegaron al hotel el fin de semana pasado —con el anuncio del presidente Felipe Calderón del arribo de más de 2.000 federales, ahora de inteligencia, dentro de su llamado Plan Social de Reconstrucción para Juárez— no ha faltado chamba*. Estos policías comen bien y pagan al contado. También me cuentan cómo algunos clientes se sienten inseguros con su presencia y prefieren irse. Del quizá único lugar que parece no haber sido objeto del crimen en acción.

Lo que estoy leyendo, cuando se acerca el federal, es un documento de Javier González Mocken, el encargado de la oficina municipal de Atención y Quejas contra militares y federales. En él se observa que en los últimos meses se han disparado los abusos de los policías federales, al menos los que la ciudadanía se atreve a señalar.

Desde que comenzó el operativo hay propietarios de carros usados, cantinas, restaurantes, entre otros.

La cosa comienza más o menos así, según varios afectados entrevistados: los policías federales llegan sin orden de cateo** para registrar el negocio y al no encontrar droga, les amenazan con plantársela. Sí, en su negocio.

---

* Trabajo.

** Orden de registro.

O pagar una cantidad de dinero, que puede ser semanal o quincenal, según lo prefieran las fuerzas de seguridad extorsionadoras.

No me gusta el tequila. Tampoco acostumbro a fugarme con un desconocido. El federal se queda con las ganas de platicar* conmigo. Y yo con una inmensa duda: la imagen de los manojos de pesos. ¿En sólo una semana?

Hoy nueve muertitos *más. Llevamos un centenar de asesinatos en este mes de febrero y unos 300 en este 2010. Desde que comenzó la llamada guerra contra el narcotráfico hace casi dos años con más de 8.000 soldados y 2.000 federales han sido asesinadas más de 4.500 personas en Juárez, frontera con El Paso.*

Los dulces del cementerio
Miércoles 24 de febrero de 2010

La primera vez le dolió un chingo**. Después poco a poco se fue acostumbrando a ver a los niños entre las tumbas. Sus clientes ya no son los pequeños juguetones que en el parque se acercaban a él para comprar unos chicharrones, unos churritos.

Los de ahora son chamaquitos*** serios: en un horizonte de silencio que estalla en dolor cada vez que los asesinados en las calles de Ciudad Juárez van llegando al Panteón San Rafael. Donde trabaja ahora.

Él es Juan Manuel Leyva y tiene 22 años. El hombre que sigue a sus clientes hasta la tumba. Porque ahora nadie se atreve a arriesgar la vida por ir a un parque.

Y tiene el don de *matar el hambre* de los más pequeños: los que asisten al entierro de sus seres queridos.

---

* Charlar.

** Mucho.

*** Niños.

Lo reconoce, es un buen negocio. Quizá uno de los pocos que no se ha visto obligado a emigrar, y que no tendría éxito al otro lado de los tres puentes fronterizos que separan Ciudad Juárez de El Paso, Tejas, la segunda ciudad más segura* de Estados Unidos.

Porque la muerte, los pesos**, están aquí en el cementerio.

En cuatro horas Juan Manuel puede ganar unos 500 pesos (unos 41 dólares). Sin tener que pagar una cuota de extorsión, como otros negocios, que ha convertido a Juárez en una ciudad con muchos edificios incendiados, otros en venta y miles de casas abandonadas. En una ciudad militarizada, con retenes constantes.

Le pregunto al joven qué piensa del llamado nuevo plan del presidente Calderón para reconstruir el tejido social de Ciudad Juárez. Y me contesta con una pregunta:

—¿Por qué no reconstruyen el tejido gubernamental? —razona.

Juan Manuel vende dulces en el cementerio. En el paraíso de la muerte impune. Los chicharrones están ricos, según el pequeño: le mataron a su primo. Y antes a su vecino. A su tío. Al hermano de su mejor amigo.

El sicario que confesó todo y a las cuatro horas dijo que era inocente

Sábado 27 de febrero de 2010

Llega rodeado de soldados. Va vestido de amarillo y en su espalda hay unas letras en negro que marcan su suerte: IMPUTADO. Se dirige directamente al micrófono. Es

---

* Desde noviembre de 2010 El Paso es ya la ciudad más segura de Estados Unidos.

** El dinero.

sábado, 27 de febrero, a eso de las 11.00 de la mañana en la Guarnición Militar de Juárez.

Silencio entre los disparos de los fotógrafos. Es él. ¿El asesino?

Lo miramos. Intensamente. Todos. Desde la procuradora general de Justicia del Estado de Chihuahua, Patricia González, y el general Espítia, hasta nosotros, los periodistas convocados a la presentación del tercer presunto sicario de la masacre de quince en una fiesta estudiantil en la colonia Villas de Salvárcar. No le veo los ojos; que miran al suelo. Escucho la voz de un agente del ministerio público que surge de un micrófono, escondido entre las cámaras de televisión que están ya enfocando al hombre de amarillo. Y comienza el interrogatorio en directo:

—¿Me puedes decir tu nombre, por favor? —pregunta el agente.

—Aldo Fabio Hernández Lozano.

—¿Qué edad tienes?

—36.

—¿A qué organización perteneces?

—A La Línea.

—¿Para quién trabajas?

—Para El Arnold.

—¿Me puedes decir si participaste en los hechos de Salvárcar?

—Sí, señor.

—¿Quién te convoca?

—El Arnold.

—¿Cómo te convoca?

—Por teléfono.

—¿Qué te dice?

—Que nos juntemos en un centro comercial. Como a las 6.00 de la tarde me habló y que a las 8.30 nos esperaba para hacer un trabajo.

—¿En dónde está ubicado ese centro?

—Ahí por Las Torres, donde se encuentra un local que se denomina Las Alitas.

—¿De ahí adónde se trasladan?

—A Villas de Salvárcar.

—¿Qué iban a hacer ahí?

—Íbamos a hacer un jale de Los Dobles AA.

—¿Qué es un jale?

—A matar gente.

—¿Qué son Los Dobles AA?

—Artistas Asesinos.

—¿Quién les da la información?

—Los halcones o los jefes de más arriba.

—¿Para quién trabajas?

—Era para El Ramas.

—¿En esa ejecución participas?

—Sí señor.

—¿A quién matas?

—Yo le disparé a un muchacho que estaba brincando una barda de un domicilio contiguo.

—¿Qué arma portabas?

—Una calibre 40.

—¿Cuántas personas participan ahí?

—Como aproximadamente veintiséis.

—¿Qué armas llevaban?

—Largas y cortas.

—¿Qué vehículos llevaban?

—Llevaban vehículos grandes oscuros como Suburban, Tahoes, Cherokees.

—¿Al término del evento qué les dicen?

—Que nos retiremos.

—¿En cuántas ejecuciones has participado tú?

—Aproximadamente cuarenta.

—¿Cuál fue tu última ejecución?

—Ahí por la Nueva Guerrero.

El tono de las preguntas-respuestas ha sido ágil. A veces el presunto sicario piensa como si tuviera temor a que se le olvidará una palabra.

Termina. Los soldados le acompañan a salir del recinto.

La procuradora Patricia González comienza a explicar quién es el detenido. Está sentada junto al general Espítia. Ella dice, entre muchas cosas, que Aldo Fabio Hernández Lozano. «El 18» fue policía municipal desde 2000 hasta el 17 de octubre de 2009, cuando fue dado de baja al no pasar los exámenes de confianza. Y entonces se incorporó al brazo armado del Cártel de Juárez, La Línea. También dice que los crímenes de Salvárcar no se van a quedar impunes, como prometió el presidente de México Felipe Calderón en su reciente visita.

Finaliza la presentación y un compañero se acerca y me dice al oído lo que él no puede contar, ni aunque logre comprobar lo que su instinto le avisa porque pueden dejarlo sin chamba o amenazarlo de muerte. Y con un rostro lleno de rabia me articula un: «Otro pinche* inocente».

Cuatro horas después, a eso de las 3.00 de la tarde, pienso en la frase de mi colega. El hombre de amarillo está en su primera audiencia del Tribunal de Garantía. No ha sido fácil encontrar la sala, ni la información de la audiencia en la Ciudad Judicial del Cereso Municipal. Nadie sabe nada. Eso que en la teoría es una audiencia pública. Estoy segura de que debe de ser hoy.

La encuentro. Y el presunto sicario comienza a hablar ante el juez: «Deseo manifestar que no he cometido ningún delito y quisiera manifestar de las lesiones que presento».

En resumen, dice que es inocente y que confesó bajo tortura. Cuatro horas más tarde de su confesión mediática.

* Estúpido.

He visto cuatro cadáveres en unas tres horas. Este sábado fueron asesinadas seis personas y cinco más resultaron heridas. He escuchado gritos de dolor mientras la vida continuaba en un mercado al aire libre y un chavo en una bicicleta se convertía en un cadáver cubierto con una sábana.

Lo más duro ha sido una frase, a eso de las 2.00 de la tarde, en la calle Palacio de Paquimé. Una señora de unos 45 años y su nieto de 16 están en un carro, me dicen varios testigos y las autoridades. Desde el cordón policial se alcanza a distinguir cristales rotos del automóvil por las decenas de balazos. Al parecer hace una hora que fueron asesinados. Un joven, tan alto como yo, se acerca dispuesto a quitarme la cámara que llevo en las manos y me dice: «¿Si fuera tu madre, la grabarías, perra?».

La agente municipal Santana, de 35 años, y madre soltera de tres hijos, según me comentó después, se pone enfrente de mí. Enfundada en su chaleco antibalas y avisa a los soldados para que me protejan. «¡No hagan nada, por favor! ¡No lleva un arma!», les ruego a las fuerzas del orden.

El chavo, de unos 19 o 20 años, sigue gritándome «perra». Está dispuesto a lanzarse sobre mí, sus amigos lo intentan calmar. Es su madre la que está muerta, me dicen. Y no sé cómo explicarle que le entiendo. Perfectamente. Lo que no entiendo es tanto asesinato.

Un colega se acerca y me dice que tuve suerte. A él le han puesto un arma en seis ocasiones en estos dos últimos años. Una vez pensó que era el final. Y siguió haciendo su chamba hasta el fin de su turno. Porque quiere seguir creyendo en lo que le enseñaron que era su deber como periodista: en que si no se cuentan estas historias habrá más horror. Impune. Tiene dos hijos.

Regreso a mi casa, entre rejas de seguridad, y sólo quiero reírme. Es mi grito para seguir viva entre la muerte constante.

El rap para no morir

Martes 27 de abril de 2010

Los tiros en la calle. El micrófono listo. Balacera mortal. Doce ejecutados en un día al que le quedan unas cuatro horas y quizá más cadáveres. Y ellas dispuestas a grabar para no morir con una computadora portátil en una recámara* de las calles de Juaritos.

—Nos vamos a esperar (a ir a casa con mamá), hay una balacera ahí fuera —comenta Lizeth Varela, *Lady Liz*, de 20 años y estudiante de justicia criminal en el Colegio Comunitario de El Paso.

—¡Lo bueno es que hay ventanas antibalas para proteger a los Batallones Femeninos! —dice bromeando Lalas, un profesor de filosofía en secundaria que controla el sonido—. Seguimos con la rola.

Fuera un muerto más. Treinta y dos casquillos percutidos en su cuerpo. Madres que llevan a ver a sus hijos la muerte en directo. Y ellos que no llegan, los soldados, federales y policías municipales con sus retenes constantes en esta ciudad militarizada.

Dentro de la casa tienen unos minutos para grabar un tema más antes de poder regresar al hogar con sus padres, acompañadas de sus hermanos menores porque son hombres. Y ahora espontáneos guardaespaldas (sin armas) de las familias que no tienen dinero para contratar unos profesionales: por necesidad. En la que se considera la ciudad más peligrosa del mundo por segundo año consecutivo.

Ésta es la nueva Juaritos, la de la guerra. Ahora con su rap: el grito creativo que surge con fuerza de los porqués que matan para no morir en vida y seguir intentando sobrevivir un día más entre los secuestros, las extorsiones

---

* Habitación.

y los *muertitos* que se han disparado en una ciudad de negocios incendiados por no pagar la cuota.

Y ellas, ahí, vomitando su vida para no explotar por dentro. En la ciudad que aman. Son los Batallones Femeninos: cuatro chavas que fuera del micrófono no tienen mucho en común: más que su rebeldía por un Juaritos agonizante que las une a ritmo de rap.

Lalas, el chico del sonido, ajusta un micrófono improvisado. A la entrada de su dormitorio hay «unas maderas que intentan un día convertirse en un estudio de sonido», me comenta ilusionado.

Todo listo para grabar la voz de *Ninguna guerra en mi nombre*, una rola que después seguirá el mismo rumbo: pasarlas a amigos, familiares, sin pensar en que pueden vender miles de discos, convertirse en estrellas o ganar un Grammy. Aunque pudieran.

Primero suena en el altavoz de la computadora la voz de Siniestra (Sonia Esmeralda Mata), de 24 años. La que grabó hace unos días. Hoy no está aquí. Según lo que me cuentan, está chingada* con su tercer embarazo. Se quedó en la cama. Y su rap comienza:

Cansada de lidiar con los tragos amargos de la vida
alcoholizo mi cuerpo y trato de perder el tiempo acompañada
[de tequila,
la cruda es el saber que ni con esto se olvida,
pero por el momento siento que es un buen pretexto
para no encontrar la salida
disfrazo trágicos momentos
con falsas alegrías
desvío mis sentimientos entre lágrimas y risas
entre más pasa el tiempo, más lento y más violento
es lo mismo cada día

* Jodida.

para que esto terminara dime cuánto no darías
ha llegado el momento de acabar con tus mentiras
comienza la función, está sonando mi canción
mi revolución de rimas
batallón de guerreras femeninas
...fieras por naturaleza...

Dilema (Lorena Castillo), de 21 años y estudiante de diseño gráfico en la Universidad Autónoma de Ciudad Juárez continúa con su grito:

El cisne no ha cantado su última melodía
mi gente no se rinde, nunca esperen cobardía
me han dado más fuerza pa'seguir con cada día
y decirles a los malos
no han podido todavía.
Y llego con un corazón de acero
alzo mi voz al viento por mi ciudad que quiero
no se desesperen que últimos serán primeros
afuera pelafustanes
no engendrarán más el miedo
y lo digo y lo recalco
de pólvora, de puños, de palabras saldré ilesa sin rencor,
hardcore la fortaleza que el de arriba me enseñó
¡y te exijo! Político hocicón a llorar en el rincón
al pueblo ya no convences con comida y diversión
de mi lado es distinto
prestamos más atención
pues de pericos perros busco la disminución
y llega la reacción, Batallosas en acción
ahora ya nadie nos calla con mi forma de expresión.
Y llega la reacción, Batallosas en acción
ahora ya nadie nos calla con mi forma de expresión.
... Con mi forma de expresión...

Ráfaga (las cuatro raperas):

Y vengo luchando, rimando, sacando, pintando las penas
[con un aerosol.
No quiero disculpas mejor deja el mando primer
[mandatario, mujeres tomando el control.
No nos rendiremos hasta que logremos sacar el veneno,
[haremos que brille el sol.
Y vengo luchando, rimando, sacando, pintando las penas
[con un aerosol.
No quiero disculpas primer mandatario, mujeres tomando
[el control.
No nos rendiremos hasta que logremos sacar el veneno,
[haremos que brille el sol.

Y ahora es el turno de la *Oveja Negra* (Susana Molina), de 25 años —que rechazó su destino de ser obrera en una fábrica maquiladora como sus padres— y aprendió a sobrevivir en la calle:

No me arrancaron de la cara la sonrisa
¡hoy vengo firmes!, representando el ser mujer soy fronteriza
digna guerrera, fuerte, verdadera
¡como mamá dijera!
Traigo motor dentro de mí para estrellarme, para contarte
[desde esta parte
de oscuridad teñida en sangre
nos hemos vuelto cazadores de nosotros mismos
vengo aturdida por parranda de balazos
suenan, retumban los cañonazos
es la actitud el surco de mis pasos
ninguna guerra en mi nombre, genocida Primer
[Mandatario.
ninguna guerra en mi nombre, genocida Primer
[Mandatario.

Le sigue *Lady Liz* (Lizeth Varela), 20 años y que sueña con trabajar en un centro con jóvenes encarcelados cuando se gradúe del Colegio Comunitario de El Paso:

No fingiré ya mi sonrisa Mona Lisa, voy deprisa en esta [vida
con el puño arriba, como Pancho Villa, vengo agresiva
enfrentando lo que se avecina
busco alcanzar la cima, ignorar lo que lastima,
y abrazarme fuertemente de alegrías,
escribir poesías, caminar y regalar sonrisas,
a quien amo caricias
evitando las malas noticias
¡Pues no me rajo!
por algo Dios aquí me trajo
esquivando al desgraciado fracaso no me acobardo
de las buenas experiencias me respaldo y no me estanco
¡Sigo firme! En medio de balazos
donde sobrevivo y escribo lo que vivo
una ciudad en pedazos.
... Una ciudad en pedazos...
Batallones Femeninos representa
desde la ciudad más violenta
¡Ésta es nuestra propuesta!

Coro (todas):

Somos el tiempo
Perduramos
No abandonamos
Somos al pie de lucha
¡Póngase trucha!
Grita, crea, espejea
¡¡¡Póngase alerta ea!!!

Que afuera baila la más fea.
Somos el tiempo
Perduramos
No abandonamos
Somos al pie de lucha
¡Póngase trucha!
Grita, crea, espejea
¡¡¡Póngase alerta ea!!!
Que afuera baila la más fea.
Grita, crea, espejea
¡¡¡Póngase alerta ea!!!
Que afuera baila la más fea.

(© Batallones Femeninos)

En Juaritos los políticos platican y a su gente la asesinan

Miércoles 2 de junio de 2010

Están ahí. Son cuatro cadáveres. Tendidos en el suelo. Tres seguidos. Y uno a pocos metros.

Estaban jugando al baloncesto: hasta hace unos minutos, que escuché en una calle cercana una ráfaga de balas. Son poco más de las 10.00 de la noche del miércoles en Ciudad Juárez. Y ellos están muertos. En las canchas de baloncesto de un parque rectangular situado hacia la calle Agrarista en la Unidad Habitacional Emiliano Zapata. Una adolescente de 14 años está herida y sus familiares la llevan al hospital.

Al parecer tienen entre 20 y 22 años y, según una vecina, algunos de los chavos eran estudiantes universitarios que trabajaban y organizaban torneos de fútbol los domingos en la calle Vicente Guerrero.

En el parque algunos vecinos buscaban refugio del calor del desierto que azota a Juárez. Esta noche no estaban aún los policías federales que se alojan en un hotel de la calle Fray Marcos de Niza a unos cinco minutos caminando del parque, que otras tardes jugaban en las mismas canchas. Cuando ellos llegaban muchos optaban por regresarse a sus casas: tenían miedo a ser extorsionados, me cuenta una señora a la que amenazaron con *levantar* y plantar droga a su esposo si no les pagaba una cantidad a la semana.

La balacera finaliza. Y las madres salen de sus refugios improvisados. Algunas van con niños en sus brazos: a ver si (o no) mataron a su hermano. A su primo. A su vecino. Llegan de las diversas calles que dan al parque. Y comienzan a gritar. A llorar. Otras suspiran: ellos no fueron.

Los policías federales y municipales tardan en llegar unos veinte minutos. Lo mismo que los agentes estatales. Poco a poco las calles se colapsan con más de treinta unidades. Están en grupos. Esperando. Mirando a la muerte desde lejos. Un agente federal, de corta estatura y con acento de la Ciudad de México, me invita a que me vaya, a que no tome fotos.

Hace unos minutos las fotos que había tomado eran las de los candidatos a la gobernatura por el estado de Chihuahua, donde está Ciudad Juárez. Hasta el inicio del encuentro cinco personas habían sido asesinadas. Ahora ya son nueve en este 2 de junio.

En el Centro Cultural Paso del Norte, donde se celebró el debate, un grupo pequeño y selecto de personas (la mayoría hombres) sigue el evento que se retransmitió en directo por radio, televisión e Internet.

En la tarima está primero Luis Adolfo Orozco (PRD), seguido de Carlos Borruel (PAN) y César Duarte de PRI*.

* Actual gobernador.

Uno de los tres será el próximo gobernador del estado tras celebrarse las elecciones el 4 de julio.

Los dos últimos hablaron como políticos. Promesas y más promesas difíciles de cumplir en una ciudad donde cada día muchos juarenses que pueden (o no son asesinados) huyen. Y Orozco habló como un inexperto soñador. No hubo nada nuevo. Nada que pueda animar a los chihuahuenses a lanzarse a votar, esperando un cambio real. Al menos en lo básico: vivir sin peligro de ser asesinados, extorsionados, secuestrados.

Al finalizar el debate, unos ochenta jóvenes simpatizantes de Carlos Borruel (PAN) lo esperaban eufóricos fuera del recinto. Antes de salir como si fuera el ganador, lo hizo el empresario y ex alcalde Teto Murguía*, de nuevo candidato a la presidencia municipal por el PRI. Y lo recibieron coreándole: «¡¡¡Ratero!!! ¡¡¡Narco!!!», mientras Teto no perdía la sonrisa de su rostro: la misma que está en los cartelones electorales que cubren las vías principales de la ciudad, acompañado de familias enteras y ancianas solas.

Su compadre, Saulo Reyes, ex director de Seguridad Pública Municipal, fue arrestado en El Paso, Tejas, hace dos años y cumple una condena de ocho en Estados Unidos por tráfico de drogas. De esto pocos se acuerdan. ¿O sí? Muchos de sus votantes piensan que podría llegar a un acuerdo para que regrese la paz en esta codiciada plaza del paso de la droga. Pero ahora hay un nuevo ingrediente: un Cártel de Sinaloa fortalecido. Y una llamada guerra contra el narco que se inició desde la presidencia de México.

Son ya 1.100 los asesinados durante este 2010 en la ciudad: con estos cuatro chavos más. Pero las autoridades dicen que van por el buen camino sin concretar cuál es el

* Ganó las elecciones y desde octubre de 2010 es el alcalde.

criterio en el que se basan para afirmarlo. En Juaritos todo está de la patada*. Las ejecuciones son cada vez más sangrientas... y en masa. Ya no se asesina de uno en uno, como al principio, sino que son comunes de dos, de cuatro o de seis a la vez.

Desde que comenzó la guerra han sido asesinadas más de 6.000 personas en dos años y medio: 237 menores de edad en la ciudad y el Valle de Juárez, 49 en este año; 120 menores en 2009 y 68 en 2008. Hasta hace un segundo.

El presidente Calderón no cumple con sus promesas y los vecinos de la masacre estudiantil de Salvárcar hacen su biblioteca

Sábado 5 de junio de 2010

Él sonríe: con su trofeo en las manos. Lo acaba de ganar en una competencia de fútbol. Y ella con sus ojos en lágrimas: al recordar cómo se salvaron de la masacre de Villas de Salvárcar, donde fueron acribillados quince de sus amigos y vecinos, y resultaron heridos otros once.

Él es Omar Rivera y tiene varios amigos menos: asesinados. Trabaja y estudia ingeniería de sistemas. Ella, Lisa Pineda de 23 años, es operadora en una fábrica maquiladora. Están con Juan Manuel Alcántara, de 20 años y estudiante de sistemas de computación.

—¡¡Está chido** ver cómo se aliviana la comunidad!! —exclama Rivera con una figura dorada de un jugador de fútbol entre las manos, que muestra orgulloso.

Su equipo quedó esta tarde en el tercer lugar. En este parque: detrás de las casas donde fueron asesinados sus compas en una fiesta de cumpleaños, un sábado 30 de

* Fatal.

** Genial.

enero. Y el presidente de México, Felipe Calderón, justificó las muertes de estos estudiantes vinculándolos al crimen organizado y al narco. Sin haber investigado. Hasta que se tuvo que disculpar mientras su legado presidencial se cuestionaba.

En cierta manera, estos chavos asesinados tuvieron más suerte: a otros jóvenes, que son ejecutados en pequeños eventos, no les tocan ni las disculpas. Los matan y pasan a la lista negra: la de haberse ganado la muerte. Por estar, supuestamente, con el narco. Y a sus familias nunca les ofrecen ni promesas de justicia.

Así, con las feroces críticas, el presidente Calderón vino en febrero —por primera vez— a Juaritos desde que comenzó su guerra y presentó un plan (social) llamado «Todos somos Juárez, reconstruyamos la ciudad».

Prometió que a los cien días habría resultados. Pasaron, y no se cumplieron ninguno de sus objetivos programados para esa fecha. Y en Ciudad Juárez, con más de 6.000 asesinados en estos dos años y medio, sólo están seguros los muertos. Y los que han buscado refugio en Estados Unidos o el interior del país.

Es sábado 5 de junio. Esto no es un sueño: estoy en el parque de esta colonia obrera azotada por la violencia. En las calles Villas de Cedro con Leñadores. Los niños están jugando. Los mayores, también. Unas mamás están compitiendo por ser las campeonas en voleibol.

¡El ambientazo es fantástico! Pienso en el pasado. Cuando se podía vivir en Juaritos sin peligro a ser asesinado, secuestrado, extorsionado.

Unos pequeños bailan canciones infantiles de la mano de unas chavas disfrazadas, hasta que comienza un concierto de uno de los grupos locales de pop, que ya no tocan en muchos de los antros de la ciudad: la mayoría han sido cerrados o incendiados. También están los que danzan los bailes folclóricos, las polkas de Chihuahua:

Ella tiene 15 años. Y es Lupe Carreón. Tiene calor. Estamos a 42 grados centígrados en esta ciudad desértica donde miles de familias no tienen agua potable. Lo que tiene Lupe es mucha alegría de poder haber contribuido de alguna manera a recaudar fondos para la primera biblioteca de la colonia. En este festival o kermés donde hay de todo: juegos infantiles, bodas espontáneas (y de broma) con muchas risas, venta de artesanías. Hay esperanza.

La biblioteca se llama La Unión de Villas. Como el nombre del comité de vecinos que nació tras la matanza (sin esclarecer y con inocentes convertidos en culpables) de los mejores deportistas y estudiantes de la colonia. Se sienten unas energías bien padres*.

Los adolescentes entran en ella, la limpian, la pintan, la crean. La miman, es su biblioteca. Y está ahí, delante del parque. Se hizo realidad en apenas tres semanas, me dice uno de los vecinos, Julián Contreras. Rescataron una de las 116.000 casas que hay abandonadas en Ciudad Juárez, según datos oficiales.

Unos pusieron la pintura, otros vendieron productos para comprar material, otros donaron lo que podían de sus pobres salarios de obreros de la maquiladora, muchos dieron 20 pesos (poco más de un dólar y medio) y esta mañana consiguieron más. Fue en «Un kilómetro de libros», una propuesta que organizaron para recibir donaciones. Comenzó en el centro comercial Las Torres y continuó por varias calles hasta llegar a la colonia Villas de Salvárcar.

La biblioteca tiene Internet y éste será costeado por los vecinos, que seguirán organizando eventos para construir presente con futuro en su comunidad. Han conseguido algunas computadoras. Y cuatro maestros voluntarios apoyarán a los niños en sus tareas.

* Fantásticas.

El jueves organizaron una rueda de prensa. Acudieron varios medios de información que lanzaron la noticia. Y que hoy no están aquí, en la kermés, donde también se pueden devorar antojitos mexicanos y «lo mejor» del otro lado de la frontera: las hamburguesas y los *hot dogs*.

«Ha habido una reacción impresionante», afirma Contreras. «Nos mandaron a la secretaria personal de Margarita Zabala (esposa del presidente de México), al representante de la Comisión Nacional del Deporte...».

Incluso esta mañana, dice Contreras, «comenzaron a llegar las máquinas para emparejar el terreno y construir la Unidad Deportiva Villas de Salvárcar», una de las promesas del presidente Calderón.

«La gente ve que tiene que hacer algo y están encontrando la forma», apunta Contreras. «Ha tenido una resonancia muy fuerte».

Me dio gusto verlo. Sonriendo. Vendiendo sus cuadritos de luchadores realizados con resina. También imitaciones de grandes pintores que él mismo realiza y collarcitos artesanales. Conocí a Alonso Encina en el velatorio de su hijo José Adrián. Y no fue fácil hablar con él. Tardé varios días para que confiara en mí. Ahora me llama a lo lejos, me sonríe con su esposa y me comienzan a contar su nueva vida. Sin él.

«Ahí quedan más muchachos, hay que seguir adelante», me comenta Reyna Alicia Hernández, la mamá de José Adrián Encina, vestida de rojo. «Yo vivo con mi dolor, a veces ando bien y a veces cabizbaja, y así me la paso dedicada a mis otros dos hijos».

Y Alonso, huérfano de su hijo universitario y ahora desempleado de una maquila en la que trabajó durante veinte años, dice que «se siente uno bien (con las iniciativas comunitarias), antes todo estaba muy serio, se está uniendo mucho la gente y estamos echándole ganas todos».

Son vecinos como Luz María Dávila que se quedó sin sus dos únicos hijos: Marcos y José Luis Piña, de 19 y 16 años. Y le dijo al presidente Calderón en su primera visita tras la masacre lo que nadie se atrevió a decir.

En el cuarto mes sin sus hijos, su esposo le obsequió una muñeca: que sonríe en el sofá de su casa. Y en los brazos de Luz. Se llama Azul.

Última hora: autoridades federales reaccionan tras una biblioteca creada por los vecinos:

1. La secretaría de Educación Pública de México (SEP) anuncia el domingo (al día siguiente de la inauguración de la biblioteca) que el lunes a las 9.30 de la mañana iniciarán la construcción de la Unidad Deportiva Villas de Salvárcar. Convoca a reporteros, fotógrafos y camarógrafos.

2. También, en otro comunicado, señala que entregó —dentro del plan del presidente Calderón «Todos somos Juárez»— una donación de 331 títulos en 550 volúmenes a la biblioteca Unión de Villas creada por los habitantes de la comunidad de Villas de Salvárcar.

Los vecinos de Salvárcar rechazan la versión. Dicen que recibieron un donativo de la biblioteca Tolentino sin saber que éste iba a ser utilizado para realizar un extenso comunicado de prensa donde se incluía esta donación como parte del plan del presidente Calderón.

Los vecinos aclaran que aceptaron la donación sin pensar que iban a ser utilizados con fines políticos. «Con este acto oportunista desnudan sus intenciones de querer deslegitimizar la organización vecinal de Villas de Salvárcar como un proyecto alternativo para solucionar nuestros problemas, tratando de hacerlo pasar como parte de su estrategia de reconstrucción del tejido social», afirma Julián Contreras.

Al conocer la noticia, los vecinos se negaron a participar en el evento mediático del inicio de la construcción de la Unidad Deportiva Villas de Salvárcar.

Llantos en directo: con once menos en Juaritos
Miércoles 9 de junio de 2010

Acababa de ver otro cadáver: tirado en el suelo. Con los policías federales custodiándolo. Los peritos forenses buscando evidencias del crimen. Escenas casi similares a las de los otros diez asesinados de este miércoles 9 de junio.

De pronto, sentí los suspiros de él. De Héctor Zúñiga. Son las 9.30 de la noche. En la Colonia Felipe de Los Ángeles. Afuera del centro de rehabilitación para adultos Juárez 2006. Héctor comienza a tranquilizarse. Sabe que su hijastro, que está ahí dentro, no es el muerto.

El chavo, de 22 años, lleva tres meses recuperándose de su consumo de drogas. Sus padres pagan 300 pesos a la semana (unos 25 dólares), casi la mitad del sueldo de Héctor como obrero de la construcción. «Yo venía hasta llorando, ya me sentí mejor», dice Emilia, la madre del chico.

El que está en el suelo es Francisco Lazo, de 27 años, padre de un niño y subdirector e hijo del director del centro. Un enfermo, Lorenzo García, resultó herido. Los internos huyeron por la parte de atrás de la casa. Algunos de los setenta y cinco pacientes se ven todavía encaramados en la colina detrás de la casita principal del centro.

«Mi mamá viene para llevársela», dice la hermana de una de ellas que lleva una semana en el centro.

De un automóvil salen llantos de niños. Me acerco. Los pequeños son cinco y tienen entre 3 y 8 años. Les pregunto qué ocurre, si están solos, dónde están sus padres.

Es lo más duro que he visto en el día, más que el futuro convertido en cadáveres.

Ellos no contestan. Sus lágrimas son feroces. Sus cuerpos se mueven sin parar, como una coctelera. No sé qué hacer. Hasta que se acerca una mujer y me dice: «¡¡¡No tome sus nombres, no los entreviste!!!».

Le pregunto si es la madre y me dice que sí. Le explico que me acerqué sólo para saber si podía ayudar en algo, que quizá no sea un buen lugar para dejar a unos niños solos en medio de camionetas de policías federales y viendo un cadáver en el suelo. Que quizá eso no sea bueno para los pequeños, que esa imagen la van a tener para toda su vida... Ella me mira, me dice que el *muertito* es su primo. Me da su teléfono. «Para lo que se le ofrezca», me dice. Y se despide: «Muchas gracias», y se lleva a sus hijos a la casa.

Cuando veo las vallas publicitarias que dan la bienvenida a las fuerzas federales en las principales vías, y bueno, ahora, a los candidatos ante las elecciones locales de 4 de julio de 2010, me pregunto cuándo vendrá una campaña que alerte a los padres (que quedan sobreviviendo en Juaritos) del peligro de llevar a sus pequeños a ver la muerte en directo.

Antes, Martín Caldera, un estudiante de 16 años, fue asesinado. Era jugador de béisbol del Centro de Bachillerato Tecnológico Industrial y de Servicios (CBTIS 128) e iba acompañado de su novia, ahora herida.

Circulaban a eso de las 4.30 de la tarde en un Grand Marquis por la colonia Águilas de Zaragoza cuando un comando armado les disparó.

Caldera ya no podrá representar a Juárez en varias competencias nacionales e internacionales. Como lo hizo desde niño.

Su muerte deja de ser noticia una hora después. Cuando en la colonia Anáhuac un hombre es acribillado a tiros al llegar a su hogar.

Hacia las 8.00 de la tarde Juaritos comienza a perder el cielo azul para convertirse en un manto feroz de colores. Un cuerpo sin cabeza está en el cruce de las calles Vicente Suárez con Luciano Becerra, en la colonia Zaragoza. En la banca* de un parque está la extremidad supe-

* Banco, asiento.

rior: la encontraron unos niños. La muerte continúa. Son once los *muertitos* de hoy.

El entierro de un chavo de 15 años asesinado por la 'migra gringa'

Jueves 10 de junio de 2010

Ella bajaba caminando por el cerro. Su pequeño ya estaba en el coche fúnebre. Quería irse con él: en todos los sentidos (pensó en suicidarse al verlo muerto). No podía, no había lugar en el vehículo.

Es jueves 10 de junio en la colonia Plutarco Elías, una de las más pobres de Ciudad Juárez, donde las calles son de la arena del desierto. A unos 40 grados centígrados poco antes de las 2.00 de la tarde.

El ataúd de Sergio Adrián *(Keko)* Hernández Güereca, de 15 años, está listo para ir a su funeral en la iglesia Medalla Milagrosa, a unos diez minutos en carro de la casita de su hermana Rosario, donde fue velado estos días. Sus padres no saben cómo irán. Sus vecinos, tampoco.

Como en la tarde del lunes lo había asesinado un agente de la Patrulla Fronteriza estadounidense, el Gobierno Municipal de Ciudad Juárez les había prometido que llegarían unos autobuses para recogerlos. Pero las ruteras no llegaron.

María Guadalupe Güereca es una mujer de suaves ojos verdes que nació en el pueblecito histórico de San Juan del Río, en el estado de Durango, hace 46 años, y encontró chamba en Ciudad Juárez. También es la madre de Sergio Adrián, el pequeño de sus seis hijos.

Le da pena que sus vecinos, que sus amigos se queden ahí. Y comienza a bajar el cerro con el fin de buscar un autobús público y convencer al chófer para llevarlos hasta la iglesia.

Al verla así le digo mejor que se suba al carro en el que voy, porque se arriesga a llegar tarde al funeral de su hijo. Su ex esposo, Jesús Librado Hernández, que lava autos por las calles de Juaritos, anda igual de confundido.

—¿Señor Hernández, tiene manera de ir? —pregunto.

Y en un segundo, el ex esposo también se encarama.

Los vecinos comienzan a caminar rumbo a la iglesia católica. Llegan y está cerrada. Hay que buscar al sacerdote. Sergio Adrián huele a muerto. Su cara está descompuesta. Fueron tres días sin aire acondicionado siendo cadáver: así se vela a los muertos pobres en Juaritos.

El lunes Sergio Adrián fue asesinado en un día donde otras seis personas se convirtieron en cadáveres en diversas colonias de la ciudad. Lo asesinó un agente de la Patrulla Fronteriza estadounidense, debajo del Puente Negro en las orillas del Río Bravo, y a un costado del Puente Santa Fe, que une y separa Ciudad Juárez de El Paso.

Y en ese momento su muerte se convirtió en noticia internacional. De los otros *muertitos* nada de nada. Ni sus nombres y menos sus historias: ni de dónde venían las balas.

Ya llevamos en Juaritos setenta y cuatro asesinados durante el mes de junio, 1.162 en este año hasta ahora.

El chavo esperaba a su hermano Omar, que trabaja en la Aduana y que entrena el equipo de fútbol Deportivo Mayitos donde Sergio Adrián jugaba como delantero: Era el 7 en su uniforme. Y hoy está vestido de su pasión: el fútbol. En un ataúd blanco.

Había quedado con él para que le diera dinero para comprar material escolar. Sergio Adrián fue el primero de la familia con más estudios: estaba en la prepa.

Por la zona del Puente Negro, donde pasa el tren, algunos intentan convertirse en inmigrantes indocumentados en Estados Unidos. Otros muchos, cuando el río no está seco, van a refrescarse en sus aguas contaminadas y sucias.

La Patrulla Fronteriza argumentó que disparó al joven en defensa propia porque éste estaba tirando piedras a los agentes mientras un grupo de personas intentaba cruzar el río al lado estadounidense, y «éstas son armas desde los tiempos de la Biblia».

Para estas horas, Sergio Adrián se ha transformado en un criminal: asesinado por la autoridad estadounidense. Y en cierta manera —según el pensamiento de los que acusan sin pruebas— se merece que lo hayan matado. Tiene vínculos con una organización de tráfico de personas, según la Oficina de Aduanas y Protección Fronteriza de Estados Unidos. Pero no se ha ofrecido un reporte, unas pruebas que lo demuestren.

Por otro lado, hay muchas personas de nombre Sergio Adrián Hernández que tratan de cruzar la frontera y sólo con las huellas dactilares del muerto se puede comprobar, un examen que no han realizado las autoridades estadounidenses.

«¡Mi hijo, tú eres un buen hijo, ahora ellos quieren hacer creer lo que no es para justificar su mal!», grita el padre recostado en el ataúd.

Las autoridades *gringas* son —con los mexicanos pobres— en cierta manera como las de Juaritos. Aquí todos los que son asesinados en esta guerra contra el narcotráfico pasan a la lista de los narcos. Igual que las mujeres desaparecidas engrosaban la lista de las prostitutas, de las mujeres atrevidas: así justificaban la indiferencia ante sus muertes las autoridades locales con el procurador de Justicia de Chihuahua Arturo Chávez Chávez, que —a pesar de su probada ineptitud en el cargo— es el actual procurador general de la República: el mismo que dice ahora que en México no hay narcoterrorismo, a pesar de las bombas, granadas, de vivir en terror.

Es el razonamiento para no investigar. Y no llevar a los verdaderos culpables a la cárcel. Y hay que mantenerlo como sea. De ahí lo importante de intentar controlar a los medios de información con suculentos ingresos con publicidad gubernamental. Con desinformación.

Del agente que mató a Sergio Adrián no se sabe ni su nombre. De la víctima, del adolescente, se sabe hasta lo que no fue.

Pocos han podido llegar hasta la iglesia. Al terminar el funeral de su hijo, Jesús Librado Hernández —cuyo padre fue un veterano estadounidense que luchó en la Segunda Guerra Mundial— comienza a organizar el tráfico.

En este funeral no han llegado ni los tránsitos. Tampoco las autoridades locales, estatales o federales que estos días prometieron ayudar a la familia con sus declaraciones a los medios. Así que el padre del asesinado por la *migra* asume un nuevo papel en su dolor: el de controlar la salida de los escasos vehículos de la carretera de la iglesia hasta la que lleva hacia el Panteón Jardines del Recuerdo: el cementerio para los más pobres en la Sierra de Juárez.

De dos viejos carros en los que van encaramados varios de los amigos de Keko, se escuchan los corridos norteños y el *regaetón* preferido de él, que ahora está delante de todos en un ataúd.

Hay coronas, sencillos arreglos. Algunos empeñaron sus pertenencias para despedir con flores a su amigo.

Comienzan los gritos. De la impotencia. La rabia. Los porqués. Una de sus hermanas, Coral, se desmaya de nuevo.

«¡Levántate, mi niño, levántate!», exclama María Guadalupe Guëreca antes de que su hijo sea enterrado.

Rosario, la hermana que trabaja en una fábrica maquiladora, se resiste a ver así a su hermano. Se tira hacia el ataúd intentando que no lo bajen. Le siguen otra de las hermanas. Con un fotógrafo apuntando sus rostros a unos diez centímetros. El resto los seguimos en manada, a unos metros.

Hay funerales de los que nunca se informa: no son noticia porque en un entierro puede acabar contigo el grupo que mató al del ataúd.

Alguien pudo pagar unas rolas* al grupo norteño que encontró chamba en el cementerio cantando a la muerte cuando muchas cantinas y restaurantes comenzaron a desaparecer en Juaritos con la llamada guerra contra el narco: con los muertos, los refugiados. Con el peligro de muerte al devorar un burrito.

Sergio Adrián Hernández Güereca, de 15 años, tuvo sus corridos. Sus coronas. Su gente. Los medios de información. Que tenga justicia será otra historia.

La guerra de César: con la Virgen de Guadalupe baleada

Lunes 14 de junio de 2010

Lo vi huyendo de su propio hogar. Los vecinos le ayudaban a sacar sus pertenencias, algunas maletas y uno de ellos cargaba un cuadro de la Virgen de Guadalupe: baleado. Con el cristal roto.

Él estaba tranquilo, sereno. A pesar de los más de cincuenta impactos de bala que pude contar en cuatro de las paredes de su casa. Llevaba un crucifijo de madera y plata colgando del cuello.

Su esposa y sus dos hijos estaban dentro de la casa cuando les atacaron. No tienen ningún rasguño, ni herida. Al menos, visibles.

---

* Canciones.

Son las 10.00 de la noche del lunes 14 de junio en la colonia Parajes del Sur, de Ciudad Juárez, una de las zonas más azotadas por el consumo de droga. Y la casa del misionero católico César A. acaba de ser tiroteada por un grupo de desconocidos: durante unos tres minutos. A unos metros donde el sábado fueron asesinados dos jóvenes.

Su vivienda, en la que viven desde hace cinco años, está al lado de un parque que se utilizaba como «picadero», donde los jóvenes consumen y compran droga. Y ahí el misionero comenzó su propia guerra contra el narcotráfico. Todas las tardes convocaba a varios vecinos para rezar el rosario mientras otros intentaban vender estupefacientes. Los organizaba para convencer a los vecinos para luchar contra los que estaban matando a la juventud, que pasaban de consumidores de drogas a pequeños vendedores.

Poco a poco fue limpiando la zona. Lo que no pudieron hacer las autoridades.

Hace año y medio, me cuenta el católico, tuvo su primer aviso. Lo golpearon hasta casi matarlo y le advirtieron que si no dejaba de rezar rosarios en el «picadero», lo matarían a él y a su familia.

A él eso no le asustó. Continúo con lo que cree que debe hacer. Y ahora está más convencido que nunca de que va a seguir con su lucha, aunque aún no sabe dónde. «No me arrepiento», dice con unos rosarios en la mano, con los que está huyendo. «Dios está conmigo, no puedo ver que envenenen a los niños con droga».

Antes de tomar su carro se acerca al santuario improvisado que creó en el parque. Ahí se despide de una Virgen de Guadalupe que sobrevive. Por ahora.

Algunos vecinos se atreven a salir de sus casas para abrazar a la familia del misionero. No saben dónde irán. Ni cuál será su futuro.

Se van solos: sin protección de la policía federal que se acaba de ir. Por las calles desiertas de Juaritos. Espero que quienes tirotearon su casa no los sigan.

Hoy mataron en Ciudad Juárez a siete personas: la primera una mujer. Lo más duro de esta jornada fue ver en la noche a esta familia. Viva. Huyendo. Aprendí algunas lecciones de la vida: como siempre en mi querida Juaritos.

Ya son 104 asesinatos en junio. Y todavía quedan dos semanas más para que el mes finalice. En el año, 1.192 muertitos. *Con más niños huérfanos: de sus padres y de las autoridades que no tienen ningún plan para atenderlos. Por no tener... no hay ni una lista oficial para contabilizarlos.*

Ciudad Juárez es una ciudad de muertos, de fantasmas (de veritas), de personas que huyen. De demasiados porqués sin respuesta.

Está desapareciendo del mapa. Y me duele un chingo, esta ciudad es fantástica. O lo era. Ya no existe. No la reconozco. Lo que queda es la alegría por vivir: entre la muerte constante. Queda todo.

El misionero César A. se comunicó conmigo recientemente para avisarme de que estaba bien, en la sierra, sin sus hijos, «trabajando contra la droga». Me envió un mensaje a mi blog.

Hoy: veintidós muertos y ocho heridos en Juaritos, por ahora

Miércoles 16 de junio de 2010

Carriola* para bebé. De 1 año y 10 meses. Está entre el cadáver de su mamá y dos asesinados más: a unos metros, otros tres ejecutados. Seis víctimas en menos de un minuto.

---

* Sillita.

En una hora: nueve menos (un hombre en la colonia Colinas de Juárez y dos más enfrente de la Subprocuraduría de Justicia, más los anteriores).

En el día de hoy: veintidós muertos, ocho heridos graves. El más sangriento del año. Y estamos a punto de superar aquella jornada de febrero de 2009 en el que fueron ejecutadas veintisiete personas.

Los muertos no traen armas. En la llamada guerra contra el narcotráfico del presidente Calderón que defiende con desplegados (pagados) en la prensa nacional, donde asegura que los muertos continuarán.

El niño en los brazos de una policía federal: con carita de horror. Sin poder llorar y alejándose de una clínica de rehabilitación para drogadictos en el fraccionamiento obrero de Infonavit Ángel Trías. Hacia las 12.30 del mediodía de este miércoles 16 de junio.

Es el hijo de Rosa Isela Pineda Téllez, de 32 años. Desde hace unas horas él y su hermana de 4 años son también huérfanos de mamá. Su padre fue acribillado hace un año.

En un día sombrío encuentro la esperanza en una mujer a punto de dar a luz a su pequeña Naomi: el nombre que eligió su esposo una semana antes de ser asesinado hace tres meses. Sonríe. Su ropa blanca resalta su maquillaje. Su hermana acabó igual que su marido.

Está con sus dos pequeños, ciudadanos estadounidenses, como muchos de los juarenses que tienen la doble nacionalidad. Que nacen al otro lado de la frontera, en El Paso.

Esto es lo que queda tras un asesinato. Ella ya no se hace preguntas. Los perdonó para seguir adelante. Por sus hijos, que comenzaron a jugar a sicarios cuando mataron a su padre. Lo que quiere es que sus crímenes no queden impunes. La justicia es en Juárez un sueño para que otros no mueran.

Antes y después del partido de fútbol

Jueves 17 de junio de 2010

Ciudad Juárez celebra la victoria de la selección de México contra Francia en el Mundial de Fútbol Sudáfrica 2010: a eso de las 4.15 de la tarde del jueves 17 de junio. Y en el puesto de socorro de la Cruz Roja de Salvárcar veo cómo unas mujeres (con la camiseta verde de la selección de México) están bajando de una camioneta a un hombre grandote, barbudo, que se está desangrando.

Estoy de camino hacia la colonia Praderas del Sur, donde se ha reportado una balacera en las calles Caléxico y Alamogordo. Este joven, según un policía federal que custodia la puerta de la Cruz Roja, es uno de los dos heridos. Hay otro muerto: Juan Carlos Rivas Robles, de 28 años. Está dentro de la casa donde preparaban las hamburguesas que vendían en la noche en un puesto.

Durante dos horas, las que duró más o menos el partido, no hubo ningún asesinato, según la Procuraduría de Justicia de la Zona Norte en Ciudad Juárez. Igual ocurrió con el encuentro inaugural del Mundial, México contra Sudáfrica. Los hubo antes. Dos.

En esas horas, la ciudad se paralizó: menos los restaurantes —que todavía quedan abiertos—, y que se llenaron con familias y amigos. Una imagen que no se veía en Juaritos desde hace dos años y medio, desde que comenzó la llamada guerra contra el narcotráfico: las balaceras en cualquier lugar donde haya un vivo para convertirlo en cadáver.

Jacinto Segura Garnika, el vocero de la policía municipal de Ciudad Juárez, tiene su propio razonamiento del efecto del Sudáfrica 2010 en la violencia: «A los sicarios también les gusta el fútbol».

Los muertos en esta jornada futbolera fueron asesinados poco a poco. Hasta a eso de las 9.00 de la noche, en la que mataron a cinco en la colonia obrera Manuel Valdez. En tres calles de arena que forman un triángulo, ahora de dolor por los gritos de las madres, de los hermanos, los amigos. De nuevo, dos adolescentes convertidas en cadáveres. Nancy de la Torre, de 16 años, y Berenice Montes Hernández, de 15. Y otros tres jóvenes más.

Nancy y Berenice están en un Nissan Altima de 1998. Cubiertas con una manta, una encima de otra. Hace unos minutos manejaban cerca de su casa cuando fueron atacadas por un comando armado. Les dispararon, al igual que a otros dos chavos que circulaban con otro vehículo y otro más, que está tirado en la arena.

Las escenas de los crímenes están sin acordonar.

Llegan los policías federales y casi nos atropellan. Los vecinos se acercan a ellos y comienzan a darles detalles de dónde están los sicarios, por dónde se fueron. Pero las fuerzas de seguridad deciden quedarse con los cadáveres. Y con los periodistas:

—No tome fotos —me dice un policía federal, que se acerca apresuradamente hacia mí, que me encuentro a unos treinta metros de los cuerpos de Nancy y Berenice.

—Pero si está platicando (con nosotros) —le contestan unos adolescentes.

Decenas de mujeres van surgiendo entre los caminos. Llegan con sus niños. Para descubrir si conocen a los muertos. «Es el hijo de la enfermera», dice Sandra J. con su pequeña de 7 años.

Es Abdiel, de 20 años, el muerto. Trabajaba como camillero en la Clínica 66 del seguro social y estudiaba para médico.

—Era un niño excelente, el único niño de la enfermera —afirma—. Lo sacó sola adelante.

De pronto comienzan a correr. Unos gritan: «¡¡¡son ellos!!!». Y los cadáveres se quedan sin su público.

En el día en que México ganó por dos goles a cero a Francia algunos de los asesinados comenzaron a asomarse en las banquetas luciendo la camiseta de la selección de México. El verde convertido en rojo. Como Juaritos. En los quince ejecutados más en la jornada futbolera.

Día del Padre sin sus hijos

Domingo 20 de junio de 2010

Esta mañana de domingo, Ricardo Alanís no tuvo sus mañanitas por el Día del Padre que se celebra hoy en México y en Estados Unidos. Lleva dos años sin tenerlas. Desde que su hija mayor —la primera en ir a la universidad—, Mónica Janeth Alanís Esparza, desapareció un 26 de marzo de 2009. A los 18 años.

«Deberíamos celebrar porque es un día más de vivir, pero sin estar ella falta la mitad de mi vida», me dice Ricardo, nacido en Ciudad Lerdo (Durango) hace 43 años y juarense desde hace veinticinco. «No hay palabras para describir la tristeza que siento».

A las 9.00 de la mañana el papá de Mónica Janeth decidió, una vez más, convertir su tristeza en lucha. Llamó a un programa de televisión local de Juaritos donde pedían que el público realizara sus preguntas a los aspirantes a convertirse en diputados, en las elecciones del 4 de julio.

Y me repite la pregunta: porque ésta nunca fue elegida. Nadie la escuchó, ni le respondió:

«¿Cuál es el plan que van a realizar para encontrar a nuestras hijas? Porque estamos cansados de tantas demagogias».

Otros días del padre a estas horas la vida en la familia Alanís Esparza era otra. Había vida.

«Era bien lindo, me cantaban las mañanitas, me hacían regalos, me traían a comer a la cama mi comida especial

—chicharrones en chile con sopa de arroz—, y de postre, pastel de tres leches y nieve de nuez», explica el papá de Mónica Janeth.

Ahora su vida no está completa. Está a la mitad. Su otro hijo, Jaime, de 16 años, le llena parte de su corazón.

«Estoy esperando que Dios haga un milagro y que el Día del Padre sea el regreso de mi hija», dice. Con la voz quebrada al igual que su cuerpo: desde hace un mes está en la cama, incapacitado, sin poder ir a su chamba de operador en una fábrica maquiladora. Y hay que pagar los recibos del hospital, comer, seguir sobreviviendo: medio muerto, preguntándote dónde está una hija, si habrá comido, si habrá dormido, quién la tendrá y cuáles son las *pinches* investigaciones de las autoridades por las que las chavas siguen desapareciendo como hace diecisiete años. Con la misma indiferencia. E ineficacia. Y con más comisiones gubernamentales.

El papá de Mónica Janeth Alanís Esparza está junto a su esposa, Olga, con uno de los carteles con los que salen todos los días desde hace un año y tres meses buscando a su hija.

No me atrevo a decir ¡feliz Día del Padre! como antes. Más de 5.500 personas han sido asesinadas en esta ciudad desde que el presidente Calderón comenzó su guerra contra el narco.

Cada vez salgo menos a la calle. Voy porque hay muertos. A hacer mi chamba. Hoy, doce cadáveres y cuatro heridos de gravedad por ahora: 298 asesinados en lo que llevamos del mes de junio, 1.317 en los primeros seis meses del año.

En el Puente de Santa Fe —los que pueden tienen visa láser, algo de dinero y ánimo para hacerlo— esperan más de una hora para cruzar hacia El Paso y disfrutar de un Día del Padre en los restaurantes juarenses que regentan personas que han huido a territorio estadounidense. Y hacerlo sin peligro de ser asesinado. Como en Juaritos.

Unas «pintas» y unas veladoras recuerdan a unos metros, en el Puente Negro, que Sergio Adrián Hernández Güereca, de 15 años, fue asesinado hace unos días, el 7 de junio, por un agente de la Patrulla Fronteriza estadounidense a orillas del Río Bravo, en Juárez.

Y Jesús Librado Hernández llora.

Es el padre de Sergio Adrián. Lo hace como el primer día que lo conocí. Cuando mataron a su hijo.

«Es algo triste, uno festeja este día con los hijos..., no puedo explicarle», afirma el papá del adolescente asesinado por la migra gringa.

Fue a la iglesia hace unas horas. Es cristiano.

«Le estuve pidiendo al Señor que me diera fuerzas, que me tuviera misericordia, yo quisiera tenerlo al lado mío», habla y llora. Más y más.

«Era un hijo bueno, obediente. Nunca me contestó. Los domingos jugábamos en el parque», dice este padre de seis hijos, de su primer matrimonio, donde nació Sergio Adrián, y dos más de su segunda relación.

Y ahora le falta todo.

En la colonia Villas de Salvárcar, donde el pasado 30 de enero fueron asesinadas quince personas durante una fiesta estudiantil, Luis Piña ya no tiene a José Luis ni a Marcos, de 19 y 16 años. Se siente huérfano de sus dos únicos hijos.

A las 6.00 de la tarde sigue durmiendo. Para olvidar. Antes de ir a trabajar como guardia de seguridad a una fábrica maquiladora. Y enfrentarse a la noche y los recuerdos, los balazos... la sangre en sus chanclas. La muerte en vida.

En Ciudad Juárez cada vez son más los que lloran en lugar de celebrar la vida. Lo hacen bajo la mirada omnipotente de las fuerzas federales enviadas por el presidente de México.

Elecciones violentas
Domingo 4 de julio de 2010

Esta vez no fue como otros años. Fue sola. Con sus tres pequeños. Su esposo se quedó en el ataúd. Con su hermano... con su padre.

Desde que fueron asesinados hace unos meses, Michelle Z. es una viuda más entre miles. A sus 28 años. Hoy domingo fue a votar en las elecciones locales y estatales.

«Antes íbamos a la iglesia y luego votábamos», afirma la viuda de ojos inmensos, elegante en sus pasos, con figura de modelo.

Primero buscó la casilla. De estas cosas se encargaba su esposo. Después la credencial de votante. Llegó y no estaba abierta.

«No había mucha gente a las 8.00 de la mañana, pero estaba cerrada. Está muy mal organizado».

Al final no lo consiguió: no había renovado su credencial. En ese voto le hubiera gustado escribir una frase:

«Que nos apoyen a las mamás viudas sin estudios, con becas para los niños, con formación y trabajo».

Aún no están contadas todas las papeletas, pero el Partido Revolucionario Institucional (PRI), el opositor al del presidente de México Felipe Calderón, del Partido de Acción Nacional (PAN), es el gran ganador, según ellos, que lanzaron ruedas de prensa a los treinta minutos de cerrar las casillas de votación. Incluso en la capital del estado, en la ciudad de Chihuahua, donde ha arrebatado al PAN la alcaldía actual.

Pocos celebran el regreso al pasado con Héctor Teto Murguía, de 57 años, como alcalde. Celebran los prominentes empresarios de la ciudad que se enriquecieron aún más en su anterior mandato de 2004 a 2007, y algunos de sus seguidores de las colonias más pobres y populares de la ciudad, a cuyos líderes les prometió casas si movilizaban a la población y ganaba.

En el fondo otros, como Manuel G., que vende hamburguesas en la colonia El Granjero, lo votaron porque «sabe negociar con el narco, y su jefe de policía y compadre era un narco».

«En sangre tendrán que voltear la lengua para otro lado», anunció Teto tras conocerse las primeras encuestas. Palabras y frases violentas, como le gusta expresarse, en una ciudad que busca paz. Una metáfora de lo que puede llegar a pasar en Juaritos con su mandato, ahora con un ingrediente nuevo: un Cártel de Sinaloa fortalecido desde que el PAN asumió el poder presidencial.

Su contrincante César Jáuregui, del PAN, le acusó en un debate reciente en Ciudad Juárez de sus vínculos con el narco, y Teto sin perder la sonrisa se defendió tímidamente, manteniendo una postura omnipotente. Y ahora dice que sólo tiene una diferencia de tres puntos con Teto, que la Asamblea Municipal Electoral está manipulando las casillas y que hay que esperar a que se cuenten la mayoría de los votos.

El gran protagonista —en una jornada que se inició con el descubrimiento de un cuerpo de una mujer quemada en vida— fue el abstencionismo y el voto nulo como protesta. Ante la falta de opciones: «Como un acto de resistencia consciente», afirma Leobardo Alvarado, gestor cultural. «Con Teto debemos de prepararnos porque se avecinan más violaciones de derechos humanos, cuando intente impulsar (como en su anterior mandato) el toque de queda en contra de los jóvenes».

El abstencionismo no es algo nuevo. El juarense, según el sociólogo Carlos Murillo González, sale a votar cuando en realidad ve que puede ganar algo (o sea, pocas veces), «pero las actuales circunstancias de violencia, la ausencia de Estado y no se diga de la pobre oferta partidista son factores determinantes para inhibir, desmotivar y hasta justificar la ausencia de votantes».

El nivel de participación rondó entre el 20 al 25 por ciento. Es decir, votó uno de cuatro o cinco electores posibles.

«El problema de la legitimidad de los ganadores en los comicios es que sin lugar a dudas van a enfrentar a un ciudadano cada vez más decepcionado, enojado y molesto con sus gobernantes, así que no les espera un buen recibimiento, no hay credibilidad en la autoridad en estos momentos».

Este desenlace, según el experto, puede ser conflictivo «si los ganadores no tienen la suficiente inteligencia para manejarlo y, desafortunadamente, no la tienen, así que se esperan días negros para Juárez y Chihuahua».

Mirando hacia el otro lado del río se ven los fuegos artificiales de El Paso, Tejas, del 4 de julio, que celebran la independencia. En Juaritos no se celebra nada. Más que estar vivo un día más.

Quince familias más preparaban el entierro de sus seres queridos asesinados ayer sábado en la víspera de las elecciones.

Miles no participaron en el proceso electoral de Ciudad Juárez por haber buscado refugio en Estados Unidos o en el interior de México. Otros están muertos: 1.424, en el 2010 hasta hace un segundo, 1.623 en el 2008 y 2.745 en el 2009.

Hoy fueron asesinadas trece personas. Una cifra dentro de lo normal, ahora en Juaritos.

Donde los crímenes se dispararon fue en la ciudad de Chihuahua, la capital del estado, con más de once ejecuciones y la exhibición de cuatro cuerpos colgados en diversos puentes.

De los doce estados del país donde se celebraron elecciones para gobernador, el PRI —que tras 71 años con el poder presidencial perdió en el 2000 y así llegó el PAN al poder con el presidente Vicente Fox, se consideró como un signo de democra-

cia, de cambio, de progreso— ganó con fuerza en nueve de ellos. Un mensaje para el presidente Calderón (PAN) y su guerra, según expertos.

Última hora: miles de votos fueron declarados nulos en el estado de Chihuahua. Los votantes escribieron en la opción no registrada un nombre con sabor a revolución: «Adelita Segura Paz». Y otro grito: «No queremos esta guerra».

Los votos nulos se convirtieron en la tercera fuerza electoral en Ciudad Juárez, según las cifras del Programa de Resultados Electorales Preliminares (PREP).

En la elección para la alcaldía de Ciudad Juárez se contabilizó el 4,5 por ciento de votos nulos. Y en la del gobernador fue del 3,27. En resumen los votos nulos tuvieron más votantes que el Partido de la Revolución Democrática (PRD), el del Trabajo (PT), Convergencia (PC), Nueva Alianza (Panal) o Verde Ecologista de México (PVEM).

Y sin hacer campaña. Sin ofrecer casas y kilos de frijoles a un pueblo que también muere de hambre. Sin comprar votos. Como el PRI.

El regreso de Montserrat a Juaritos por un fin de semana después de huir: 33 asesinatos

Lunes 5 de julio de 2010

Al principio dudó un poco en volver a su Juárez. A su amiga la habían matado justo hace un mes: la bajaron de la camioneta y ahí, delante de sus dos niños, la acribillaron.

«No sabía si emocionarme o asustarme. Pensaba que algo malo iba a pasar si íbamos», me cuenta Montserrat de la Vega, de 22 años, que huyó de Ciudad Juárez hacia Tepic, en el estado de Nayarit, hace seis meses, tras el asesinato de otros dos de sus amigos en una zona exclusiva de diversión de la ciudad.

Otros amigos de León (Guanajuato) —donde ella nació y vivió hasta que sus padres emigraron a esta frontera en busca de trabajo— vieron hace unos días cómo unos sicarios se bajaban de un vehículo en un semáforo en rojo y comenzaron a disparar a quemarropa a una pareja.

A esto se sumaban las historias casi diarias que le llegaban de sus amigos: de secuestros, extorsiones, desde Ciudad Juárez.

En Tepic vive otra vida, más tranquila, digamos: aunque las balaceras también comienzan. Pero siempre añora la frontera.

«Lo que extraño de Juaritos es ¡toooodoo!, desde mi casa, mi colonia, mis vecinos, la gente, los lugares, la comida norteña. Es una tierra de hombres trabajadores, mujeres emprendedoras, jóvenes soñadores», razona la joven, estudiante de turismo.

«Sin duda alguna cuando leo lo que sucede me da mucha tristeza, todas las matanzas y más cuando sé que a esa persona la conocí».

Pero su hermano de 15 años, el más chico, se graduaba de la secundaria y como no estaba muy acoplado con la gente de Tepic quiso festejar esa graduación con sus amigos.

«Así que mi padre nos dijo que aprovecháramos la vuelta para ir de compras a El Paso».

Sólo tenían un fin de semana para disfrutar Juárez en familia. Viajaron en avión. Tepic está más o menos como a dieciocho horas manejando de Juárez.

«Al llegar la nostalgia me invadió al ver un Juaritos iluminado, que para mí había significado tanto. Pero lo más hermoso que pasó durante el aterrizaje es que la mayoría de los pasajeros gritaron ¡Juárez, Juárez! ¡Uuuuuuuh! Y con la piel chinita seguí el grito de las personas que seguro eran juarenses como yo».

Su padre rentó* un carro para poderse trasladar durante esos días, y al salir del aeropuerto e ir por la avenida principal pudo descubrir el presente de Juárez.

Le dio tristeza observar más casas abandonadas y muchos establecimientos vacíos en la zona de Pronaf y Las Américas. También en la Plaza La Cantera.

«Fue insólito ver que a las 9.00 de la noche se empezaba a vaciar la ciudad. Hace seis meses todavía podías ver a jóvenes que salían a divertirse».

Lo mejor fue ver a sus amigos. Muchos de ellos siguen en Juárez «tratando de vivir y siendo muy positivos. Sólo dos amigas más se fueron de la ciudad, y otra más no quiere quedarse, por la violencia, porque ya no hay mucho que hacer, porque se aburre».

Eso fue lo más chido. «Disfruté el carisma de la gente, la amabilidad en los servicios, la cara alegre de muchos... y los burritos... ¡je, je, je!, y haber vivido las elecciones, ¡haber votado!, aunque el resultado no haya sido el idóneo».

El día de las elecciones, el domingo 4 de julio, fue un momento que le encantó vivir. «Me dije, tiene que haber un cambio, seguro que no va a ganar Teto (Héctor Murguía, del PRI, que ganó)».

En la tarde fue a devorar una carne asada en casa de unos amigos. El tema principal de conversación fueron las elecciones.

«Y tooodos los que estábamos ahí rezábamos para que no ganara Teto, pero por sorpresa sólo el 40 por ciento de los asistentes, había votado», explica Montserrat. «Obviamente el resultado de las elecciones me hace pensar que aún tenemos una sociedad pobre porque es lo que hizo ganar a los candidatos del PRI».

De Tepic, estando en Juárez, no extrañó nada. «Creo que estaba tan contenta, tan feliz, me sentía en casa... que

---

* Alquiló.

todo lo demás no podía extrañarlo», dice. «Me hubiese gustado quedarme más, me vine con un hueco en el corazón».

En el fin de semana que estuvo Montserrat de la Vega en su Juaritos asesinaron a treinta y tres personas: cinco el viernes, quince el sábado y trece el domingo. Pero no le tocó a ella. En Tepic, donde se refugió, ninguno.

Como Montserrat, hay miles de personas que saben lo que se siente al dejar Juárez. Una ciudad con unas 116.000 casas abandonadas, según datos del Ayuntamiento y unos 10.000 negocios abandonados: lo dice la Cámara Nacional de Comercio. Unos han huido al interior de México, otros a El Paso u otras zonas fronterizas de Estados Unidos.

Los menos regresan.

Esta ciudad que huele a muerte

Viernes 16 de julio de 2010

Él sobrevivió al coche bomba en Juaritos. Como muchos en la ciudad explotó de dolor.

Ya no hay quien viva aquí sin convertirse en un héroe por haber sobrevivido un día más. Cerca de 6.000 personas lo saben: ya están en los cementerios. Más las que siguen vivas.

Él es uno de mis lectores y me envió un mensaje al día siguiente del narcoatentado. Le pedí permiso para compartirlo con todos vosotros. Nunca me había escrito más de dos líneas. Pensé que muchos en mi querida Ciudad Juárez necesitan ser escuchados: porque las autoridades siguen aplaudiendo una estrategia (sin estrategia) que sólo ha disparado la violencia.

Ésta es su voz, desnuda. Me pidió el anonimato porque tiene miedo. Pero os puedo decir dos cosas, lo conozco desde hace un tiempo y es una de esas personas mágicas que uno encuentra en Ciudad Juárez.

Sé que cada palabra que comparte con nosotros le sale de las entrañas. Por eso al leerlas no dejan de dolerme, porque sé que se siente entre la espada y la pared, queriendo huir de la muerte pero sin poder hacerlo.

¡Ah!, y otro dato es del Partido de Acción Nacional (PAN). El mismo partido del presidente Felipe Calderón. Os dejo con él:

Miedo. Ése era el sentimiento que me invadía esta mañana al dirigirme a mi oficina ubicada a escasas cuadras de donde explotó el primer carro bomba en Ciudad Juárez.

Aún se encontraba el área acordonada desde la noche anterior y decenas de oficiales de la policía federal, tránsito, CIPOL, municipales, ministeriales y demás agencias de gobierno entraban y salían del área mientras la lesionada ciudad lloraba la pérdida de un médico que se destacó por ayudar siempre a los demás. (Y de tres personas más, más las del día que fueron asesinadas en otros eventos).*

Sentimientos encontrados más bien orientados al dolor y la desesperación, además de un extraño y nuevo sentimiento de agradecimiento de estar vivo y sin lesiones, ya que además de transitar frecuentemente por el lugar donde ocurrieron los hechos, estaba a unas cuantas calles cuando se detonó la bomba.

Las calles están completamente vacías y existe una psicosis relacionada con la situación. Cuando voy conduciendo guardo más distancia entre los carros, fui a echar gasolina al lugar que asisto regularmente y me encontré con que federales estaban de igual manera cargando sus tanques... como creí que no iba a llegar a la siguiente estación preferí arriesgarme a estar junto a ellos. Y es que no les tengo miedo a los policías, sino a los ataques que van dirigidos hacia ellos y quienes se encuentren en el mismo lugar.

* Policía estatal.

Me pregunto ¿qué fue de los tiempos de antaño cuando jugaba con mis amigos en la calle y no sucedía nada?

No confío en nadie. Menos en las autoridades, qué triste, porque pertenezco al partido en el poder y no encuentro cómo defender a nuestro presidente. Peor aún, no sé cómo defender la ciudad donde vivo, si la gente que vive aquí vendió su voto hasta por 1.000 pesos con la excusa de que Teto —el ex alcalde del PRI y ahora alcalde electo ligado al narcotráfico— podía resolver el problema que vivimos por sus conexiones con el Cártel de Juárez.

¿Adónde puedo ir?, estoy atorado en esta ciudad, que huele a muerte, ansiedad y desesperación, donde las miradas de la gente están perdidas porque no queremos ver a los ojos a nadie por el miedo de que sea alguien del crimen organizado.

No podemos sonar la bocina del auto en un semáforo porque puede ser que se moleste quien está a un lado y salgamos muertos a tiros. No podemos ir a los centros comerciales porque hasta en esos lugares públicos han matado gente.

No puedo andar solo en mi carro por miedo a que quieran secuestrarme, robarme el carro o asaltarme al subir.

El tema en Juárez no es el narcotráfico, los secuestros, las quemas de negocios, las cuotas a los patrones, los secuestros de médicos, las mujeres asesinadas o las injusticias que se ocasionan a diario. El tema central se divide en dos cuestiones básicas: falta de justicia y qué hacemos los que no cometemos ilícitos.

Tengo miedo... Tengo miedo de estar en un país que no hace nada por los jóvenes. Tengo miedo de estar en mi país sin poder ser libre. Tengo miedo de que una guerra más fuerte estalle y no logre sobrevivir. Tengo miedo de tanto...

Me invade un sentimiento de despedirme de mi familia y mis amigos. Quisiera irme de esta ciudad, pero mis condiciones político-económico-escolares y sociales no me lo permiten. ¿Adónde me voy? Estados Unidos manda 1.200 soldados más a su frontera... ¡Estados Unidos!, siendo el causante principal de esta guerra al ser el país que más consumo de drogas tiene, no nos permite la entrada a la mayoría de los ciudadanos de México. Irse a Canadá, tan lejos... y ahora que se necesita visa.

¿Dejo a mi familia sola? O... ¿me la llevo? Y si me voy a Canadá, ¿de qué voy a trabajar? Haber sacado una carrera que me ha costado tanto trabajo para ¿terminar limpiando los pisos de alguien que tiene menos estudios que yo?... Y no soy soberbio, soy realista, sería un profesionista frustrado que limpia pisos... Soy una persona de acciones, y cuando veo un problema me propongo resolverlo, pero este problema... supera por mucho mis capacidades. Una marcha por la paz, iza una bandera blanca, grita a los cuatro vientos, declara en los medios que el presidente Calderón venga, asiste a juntas para resolver la situación... ¡No han resuelto ni resolverán nada!

¿Sabes?... tengo miedo. Tengo miedo de que sea la última vez que escribo... porque no sé si esta noche mi casa va a ser invadida por soldados, narcos, cholos, rateros, y demás escoria de la sociedad, no sé si esta noche va a estallar una bomba frente a mi casa o en casa de mi familia o de alguno de mis amigos. Comprendo plenamente que la vida no la tiene comprada nadie, pero la violencia no es el curso natural del término de la vida del ser humano. Sólo me queda encomendarme cada noche a Dios y pedir por aquellos que no sobrevivirán. Gracias por escucharme. Tengo miedo.*

Facebook a los muertos
Jueves 5 de agosto de 2010

El mensaje decía: «He borrado de Facebook a dos amigos que ya no están. En paz descansen».

Era de una amiga de mi querida Juaritos, en mi encuentro (restringido) de conversaciones por FB. Univer-

* Ladrones.

sitaria, de 23 años. Y ya con cinco pérdidas cercanas en los ocho primeros meses de 2010.

Así que le escribí unas líneas. Para enviarle las mejores energías del universo e hice algo que nunca había hecho en mi vida: preguntar a varios jóvenes a cuántos habían borrado de FB.

Me di cuenta de que ella no estaba sola. Un adolescente había suprimido a quince amigos. Otro a veintiuno. Otro a ocho. Todos asesinados.

Envié la pregunta a varios jóvenes de la ciudad de Nueva York que conocí cuando trabajé allá y en general reaccionaron sorprendidísimos al plantearles: «¿Cuántos muertos habéis borrado de vuestro FB en este año?». Pensaron que era una broma lo que les estaba preguntando, un juego o que quizá no me encontraba bien.

Son las dos caras de la moneda. De un mismo negocio llamado narcotráfico que ha convertido en millonarios a políticos, empresarios, banqueros. Pero a éstos no los matan.

A los que matan en Juaritos, en general, es a los pobres. A los que no tienen ni para pagar un funeral.

Lo que se mata es todo. El presente y el futuro. Las personas. La salud mental. La libertad de prensa. La libertad de ir a la chamba, a la escuela, al centro comercial sin peligro de ser asesinado.

Lo que se mata cada día es la democracia. No la encuentro. No la veo. Se ha perdido entre tanta impunidad anunciada desde el comienzo de los feminicidios hace dieciocho años. Ahora agudizada con esta llamada guerra contra el narco y la lucha del Cártel de Sinaloa por controlar la principal plaza del paso de drogas hacia Estados Unidos del Cártel de Juárez. En una ciudad militarizada.

Lo difícil de encontrar ahora en Juaritos es a alguien al que no le hayan matado a un ser querido. Los únicos lugares donde se ve gente en la calle son los cementerios.

Las amenazas de bombas han comenzado a dispararse:

Desde que explotó el primer carro bomba, el 15 de julio, han llegado al Centro de Reacción Inmediata 066, al Hospital de los Servicios Médicos Municipales, a la presidencia municipal, a las estaciones de policía, a los centros comerciales, a los medios de información, a las universidades.

Los niños aprenden en las escuelas qué hacer ante una balacera: los maestros para sobrevivir al horror son policías municipales y federales que les han ofrecido una capacitación, según las autoridades locales.

Juárez está fuera de control. Más que nunca. Y cada vez más lejos de la fantástica Ciudad de México, lejana no sólo en distancia (unas tres horas y media en avión, y veinte en automóvil), sino también en la realidad de vivir bajo el peligro de muerte constante.

Encerrado en su propia prisión

Miércoles 1 de septiembre de 2010

Me ofreció algo para tomar. Un agua, muy amable, le dije. Estaba esperando entrevistar al director de la prisión, Gerardo Ortiz Arellano. Comencé a platicar con ella. Poco después supe que era la esposa del mero, mero*. Estaba «encerrada» por unos días. «De visita conyugal, de luna de miel». Porque desde hace más de un año no había visto a su esposo: por seguridad.

Amanda tiene 55 años y treinta y dos de casada con el que es director del Cereso Municipal de Ciudad Juárez desde abril de 2009. «Él es otro miembro del Cereso», me comenta recién llegada de Veracruz, donde tienen su hogar. «Primero es su trabajo, es su mundo. Lo aguanto porque lo amo. Ahorita estoy libre, estoy volviendo a tener mi

* Jefe.

noviazgo con él, ya no tengo que cuidar niños». Los niños son ahora dos abogados, uno penalista y otro civil.

La habitación de Ortiz Arellano está contigua a su despacho. Es la primera vez que un director tiene su casa aquí, según Jorge Chairez, el portavoz del penal. «El que sufre es uno y no el interno», dice riéndose el director.

Es amplia y con pocas cosas. Una caminadora y una pera de boxeo donde hace ejercicio, un televisor, una mesa de masaje y una pequeña sauna portátil. Hay un cuadro de San Judas Tadeo («el protector de los pobres y desvalidos»), del que es devoto. Se lo hizo un reo.

Bajamos con los prisioneros. Sin escolta. Llegamos a un amplio parque donde hay una cancha de fútbol y varias celdas donde están parte de los 2.707 presos: 2.562 hombres y 145 mujeres. Con 360 custodios.

Unos prisioneros venden aguas frescas, otros donas y pan dulce. Están en puestos que no son los suyos: otros, que tienen más dinero, los emplean.

Hacía tiempo que no me atrevía a caminar por uno de los escasos y ahora solitarios parques de Ciudad Juárez. Aquí, de pronto, me siento relativamente más segura. Entre personas condenadas por asesinar, violar, secuestrar o traficar con drogas, entre otros delitos del fuero federal y común.

«Uno se da cuenta de la violencia de afuera porque recibimos aquí a los cadáveres», comenta Ortiz Arellano, de 50 años, veinticinco de ellos trabajando en seguridad pública. «Si matan a tu mamá, tu papá, a los hijos, previa autorización del juzgado pudiera salir el reo a ver el cadáver. Pero dada la situación de peligro, lo que hacemos es que lo traigan aquí. Viene la carroza, sacan el cuerpo, lo ven y se van. Cómo sé yo que no me lo va a quitar un comando armado... Pues mejor que me traigan el *muertito*».

Nuestra conversación se interrumpe varias veces. Suena el teléfono. Es miércoles 1 de septiembre:

«Ahorita va a salir un interno al hospital, pero es alguien muy muy importante para una de las pandillas... para los Aztecas, y entonces ahí se pide el refuerzo de la policía federal. De esa manera, nosotros garantizamos no tener problemas, que vayan a lastimar a algunos de los custodios. Aquí no hay una atención de quirófano, un sonograma».

Los reos se le acercan con confianza. Varios de ellos están en talleres de arte, música. Algunos van a comenzar a realizar un mural dedicado a la Santa Muerte.

«Hemos logrado convencer a los que están aquí recluidos que éste sea el lugar donde puedan atender a su familia sin riesgo a que se lastimen. Son seres humanos y el resultado hasta hoy, a un año y cuatro meses, es que no hemos tenido ni un solo incidente, y afuera las cosas empeoran. Le metimos mucho trabajo, mucha escuela, los códigos de seguridad, checando* que los custodios estén en su lugar...».

Última hora: el primer incidente se produjo pronto. Fuera de la prisión, unos días después de mi visita, el 7 de septiembre. Un comando armado rescató a un líder de la pandilla Azteca, llamado Juan Pablo Castillo López, *El Pelón*, de 27 años, cuando era trasladado del Hospital General al Cereso. El reo tenía prevista la consulta en el hospital el 2 de septiembre para programar una cirugía de hernia inginiescrotal, pero no salió del penal hasta el 7, según informaron las autoridades.

Ese día fue trasladado con otro interno, una mujer embarazada de seis meses. Los dos eran custodiados por un celador llamado Miguel Ángel Méndez, que resultó herido.

El rescate de los sicarios fue en unos dos minutos. Con ráfagas de metralleta por la Avenida López Mateos,

* Mirando.

una de las más transitadas de Juárez con Insurgentes. Los custodios Arturo Morales Batres y Manuel Álvarez Flores, que al parecer se acercaron a socorrer a su compañero, resultaron asesinados.

La jefa de Servicios Médicos del Cereso municipal, Irma Verdeja se encuentra detenida por su presunta relación con la fuga, pero ella dice que el responsable de la seguridad es el director del penal, que ha estado en la mira previamente por fugas y graves irregularidades en penales de los estados de Tabasco y Veracruz, donde fue director.

Actualización: Irma Verdeja fue puesta en libertad en la medianoche del lunes 13 de septiembre por el juez, por falta de pruebas.

Dos meses después de esta entrevista con el director de la prisión Gerardo Ortiz Arellano éste fue asesinado junto a su hijo Jesús Gerardo Ortiz Domínguez en la ciudad de Chihuahua.

Niños llorando a niños

Jueves 2 de septiembre de 2010

Al entrar a la escuela Lázaro Cárdenas encontré a una mujer que caminaba con una sonrisa en unos ojos llenos de lágrimas. No fue fácil: desde ayer.

Es jueves 2 de septiembre y el volver a repetir las mismas palabras que comentó a sus alumnos hace dos años —cuando fue asesinado Guadalupe Villanueva, de 13 años— la llena de impotencia que intenta transformar en esperanza. Ahora lo son por la muerte de Héctor Iván Rodríguez, de la misma edad, junto a otro menor y un joven, mientras ayudaban a éste a subir unos bloques para una obra en construcción, según varios testigos.

El sicario, al parecer, preguntó «quién es el bueno (el jefe)» y comenzó a rafaguear a todo lo que veía vivo.

«¿Cómo hablarles de estudiar para un futuro si ya nada te salva de la muerte y cuando salen de la escuela sólo tienen la calle?», me comentó Reyna Vallés, la psicóloga del centro escolar, situado en una de las colonias obreras más pobres de Juárez.

Desde hace tres años y medio Vallés trabaja sin intentar derrumbarse. Atiende a niños con padres asesinados, levantados-secuestrados y a otros que huyen de la ciudad sin querer hacerlo. En sus rostros ve al de su hijo que la acompaña en una foto en su escritorio y al de su Juaritos.

En el salón de Héctor Iván hay dos pupitres vacíos, el de él (asesinado) y el de su primo que hoy se unió a toda la familia en los trámites de la espera del cadáver y la agonía de los porqués: mortales.

Algunos chavos han pintado sus camisetas con la frase «En memoria de Héctor» o «In memory of Héctor» (para eso, estamos en la frontera con Estados Unidos) y recuerdan lo mejor del pequeño: chistoso, juguetón, fantástico delantero de fútbol, buen estudiante. Por el recinto hay varias cartas de alumnos, frases, pegadas por las paredes con el recuerdo de su compañero.

A unos diez minutos manejando de la secundaria por el desierto, se encuentra la colonia Bello Horizonte, donde no hay nada bello: excepto sus gentes. Las calles son de arena y la extrema pobreza hace que muchos no tengan agua potable ni electricidad.

El pequeño Héctor vivía aquí. Al final de la calle donde fue asesinado. Sus padres, trabajadores de la maquila y con tres hijos más, prefieren el silencio, me dice Montse Ortega, la tía del pequeño, acompañada de varios familiares.

«¿Qué vamos a conseguir hablando con la prensa, que nos lo devuelvan? No hay justicia, llevamos miles de muertos».

La familia no quiere que nadie de los medios informativos acuda a la casa, al velorio, al funeral. Y entiendo su deseo, que será respetado por mí.

La tía lleva una cajita en las manos que en un tiempo contenía mazapanes mexicanos. Está realizando una colecta entre los vecinos para pagar el funeral y poder enterrar al pequeño. Hasta esta casa no se han acercado las autoridades para ofrecerles la mínima ayuda, como en la mayoría de los casos de los más de 6.400 asesinados en la ciudad desde que comenzó la llamada guerra contra el narcotráfico.

Son ochenta los menores de edad a los que han arrebatado la vida en Juárez este año, hasta el 1 de septiembre. Veintiuno de los pequeños tenían menos de 15 años como Héctor Iván Rodríguez, que murió junto con otro pequeño de 11 años en un día con diez *muertitos*, tres de ellos menores.

En lo que llevamos del año, 2.046 personas han sido asesinadas en Ciudad Juárez. Son las cifras de la muerte. Y del olvido de las autoridades. Es la impunidad (el 97 por ciento de los crímenes están sin resolver, según datos del ministerio público y la Subprocuraduría General de Justicia del Estado). Olvido en todos los sentidos con el que se alimenta la pobreza, la desigualdad social, la falta de oportunidades. Hasta que acaban contigo.

Mujer y narco

Lunes 13 de septiembre de 2010

A los 17 se quedó embarazada y comenzó en el narco.

«Una amiga que ya tenía tiempo de trabajar con ellos, me ofreció y se me hizo muy tentador», dice Carla Erika Robles, de 24 años, madre soltera de dos niños de 7 y 3.

Eran 1.500 dólares por transportar cocaína en una maleta, asegura. El jefe, un hombre. Ellas, todas mujeres, unas quince muchachas y señoras. Lo hacía no muy seguido, cada tres meses. A veces, dice, tardaba más de un año en viajar. Lo intentaba hacer las menos veces posibles.

Un día salió de su Acapulco, en el estado de Guerrero, en un autobús camino a Ciudad Juárez. Esta vez venía con un kilo de heroína en la maleta. De pronto, un retén a la altura de las fantásticas dunas de Samayaluca. La revisaron. Y su viaje tomó otro rumbo. Como sus sueños. «Era por un favor a una amiga, ella no podía venir, y mira dónde estoy».

Desde hace tres años está en la prisión del Cereso Municipal de Ciudad Juárez. Su casa es una cama en una celda con tres compañeras. Cumple condena por diez años.

«Aquí la vida es como puedes ver normal. No nos queda de otra más que acoplarnos donde estamos. No a todas nos gusta estar aquí, pero por los errores de uno... He aprendido que el dinero no lo es todo, la verdad, pero no es mejor pasar hambre. Es muy feo estar en la cárcel».

—¿Cómo acabarías con el narcotráfico? —pregunto.

—Yo le diría al presidente Calderón que cree más trabajos, más escuelas, más educación para los más pobres. Si no hay trabajo, es fácil que alguien te diga te voy a dar mil dólares y a uno se le hace fácil. Está muy fea ahí afuera la necesidad. Que dejara de enfocarse en todo el narcotráfico y velara por los niños huérfanos de esta guerra. La cosa se va a poner peor, mucho peor.

—¿Por qué?

—El narcotráfico no se acaba matando a los más pobres. Estamos creando un mayor problema. Es muy triste lo que está pasando en Juárez.

Y Carla Erika prefiere finalizar la conversación. Como quien presiente el futuro y al verlo provoca que de su rostro apacible desaparezca una sonrisa: la suya.

Desde las cárceles de Ciudad Juárez se dan las órdenes para las calles. En el Cereso Municipal hay 145 mujeres, de los 2.707 reos. La mayoría de ellas son como Carla Erika y están por delitos contra la salud, es decir, tráfico de drogas.

Las razones que les llevaron a cometer estos delitos fueron «la pobreza y el estar enamoradas» de una persona vinculada con el narco, según Jorge Chairez, vocero del Cereso.

Lunes 13 de septiembre: hay ocho cadáveres más en Ciudad Juárez, por el momento. Hombre con tiros en la cabeza y parcialmente quemado en la colonia Azteca. Degollado en Barrio Alto. Dos acribillados en División del Norte. Asesinan a pareja dentro de su casa en Terrenos Nacionales: al parecer los niños escaparon cuando entraron los sicarios y ella, Claudia Coronado, de 22 años, se puso delante de su esposo para que no lo mataran.

Un joven con tenis rojos y sin vida a espaldas del templo Sangre de Cristo en la colonia Francisco Villa.

Son 127 las personas asesinadas en Juaritos durante este mes de septiembre, 2.156 en este año y 6.532 desde enero de 2008.

Los sueños están en poder vivir unas horas más, un día más.

El grito más triste

Miércoles 15 de septiembre de 2010

Una ciudad que no la reconozco. Miedo. Muertos: tres mujeres más, una familia, un decapitado. Nueve cadáveres más en el Bicentenario de la Independencia de México. En Juárez.

Una llamada de una de mis fuentes pidiéndome ayuda en medio de una balacera, como si yo pudiera hacer algo. Un doctor contándome cómo fue su secuestro. Me pide consejo para ver cómo cambiar la fachada de su casa y que parezca más humilde de lo que es. *Too much* por hoy. Sólo quiero gritar... ¡Párenle ya!

A eso de las 11.00 de la noche, el alcalde saliente José Reyes Ferriz (PRI) lanza el Grito de la Independencia. Nadie le responde. Desde el balcón se divisa una explanada vacía. Está solo. Con el ejército. A los fuegos pirotécnicos (anunciados como fantásticos) les sobra decadencia.

Para llegar a un grito alternativo que organizan unos jóvenes para recaudar fondos y realizar un foro contra la militarización de la ciudad, hay que surcar varias vías cerradas por seguridad. En éste se grita «¡Revolución!». La fiesta acaba para la medianoche.

La calle Triunfo de la República, una de las principales de la ciudad, vacía. Como todas las noches. No hay banderas ni ornamentos en los edificios. Tampoco en los oficiales.

Mañana desayuno en un día festivo: despedida para una gran mujer —de esas que forja Juaritos— que intentará comenzar una nueva vida en otro estado mexicano. Lágrimas en mis ojos. Porque en sus razones para su huida están los motivos para quedarme. Con sus consecuencias.

Una semana con seis más de mis fuentes periodísticas asesinadas. Tres amigos más que se van. Más el resto de los *muertitos*.

Silencio. Horror. Vida que se convertirá en muerte. Bajo la indiferencia de un mundo que como mucho esperará saber cuántos muertos más habrá en Ciudad Juárez.

Cerrado. «Juaritos se está muriendo»

Miércoles 22 de septiembre de 2010

Desde hace un tiempo él pasaba por algunos edificios abandonados de su Ciudad Juárez. Los miles de negocios cerrados: sin querer verlos.

Hoy los hizo visibles en una serie de fotografías que tomó «en honor a los que murieron o huyeron, y solos nos dejaron».

Un señor le preguntó qué hacía con la cámara en mano. Le explicó. Y él le contestó: «Pues sígale por aquí y por allá y en las cuadras de atrás está igual. Los políticos dicen que no pasa nada pero sí pasa. Estamos en riesgo de morir cada día en esta ciudad».

Llegó a casa. Bajó las fotos. Y me las envió. Las tituló: «Juaritos se está muriendo». Es uno de mis geniales lectores, de esta ciudad que poco a poco va desapareciendo del mapa.

Tiene 34 años. Está casado y ahora sin empleo. Su última chamba fue en una fábrica maquiladora, pero muchas han huido, algunas de ellas han enviado a sus empleados a Eslovaquia, en Europa del Este. Como algunos de mis compas* que tienen puestos administrativos.

«En Juaritos me han asaltado, golpeado, intento de levantón**. He corrido entre las balas... y pues no me gustan las injusticias. Y estas fotos son una lucha en honor a los que no pudieron hablar. Una vecina fue víctima de los feminicidios a mediados de los noventa. Al primo de un amigo le mataron a dos hermanitas menores de 14 años. Llegué a ver cómo se llevaban a una chava y la impotencia de no poder hacer nada. Muchas cosas tristes que se viven en la ciudad».

Memo León, como así le gusta que le llamen, sigue hablando. Sin parar. Como un vaso que derrama agua y encuentra en ese fluir una explosión de dolor para poder seguir viviendo.

«Chambitas me han salido. Le ayudé a un amigo en un taller mecánico por algunos meses. Un día salí del

* Amigos.

** Secuestro.

taller y dicen que como a los diez minutos llegaron y lo quisieron levantar. El chavo peleó y lo balacearon dándole muerte. Estaba la hermana de él embarazada y con su esposo. A ella le pusieron la pistola en su pancita. Al cuñado le tocó un rozón de bala. El vivir ahora en Juárez no es cualquier cosa».

Ni el morir.

La reina de la prisión

Martes 5 de octubre de 2010

Hace seis meses su imagen dio la vuelta al mundo. Ella sonreía. Lloraba de la felicidad. Había conseguido algo que nunca pensó. Ser reina de belleza.

Sus hijas de 4 y 3 años comenzaron a decirle: «Ves, mami, tú eres mi princesa». Y les aseguraba que «algún día (ellas) también van a llegar».

Mira a la Virgen de Guadalupe que pintó. Sentada en su camita de la celda. Sus ojos enormes viajan por las emociones del dolor. No lo quiso ver. Al menos así, en un ataúd. Con el cuerpo torturado. Y sin cabeza.

No lo quiso ver a él, su esposo, Iván Roque. Levantado y asesinado un día antes de cumplir los 30.

Le ofrecieron traerle el cuerpo. Abrir el ataúd por unos segundos. Llorarle. Pero ella lo agradeció con una respuesta negativa. Lo quiso recordar vivo y entero.

Desde que se dispararon los crímenes en Ciudad Juárez, la prisión del Cereso municipal ofrece este servicio, en lugar de que el reo sea custodiado para acudir a los servicios fúnebres. Y que nadie se escape. O sea asesinado en el cementerio.

Cecilia Flores nació hace veintitrés años en Las Cruces (Nuevo México), como tantos juarenses que vienen al universo en el lado estadounidense de la frontera. Tiene una condena de cinco años por posesión de ocho kilogramos de marihuana. Los soldados dicen que la encontraron en su casa pero ella insiste que la limpiaba todos los días y que no había nada.

Desde el pasado 8 de marzo (Día Internacional de la Mujer) es Miss. En un año que comenzó con ser presa y que está terminando como viuda: tras alzarse con el certamen de belleza Miss Cautiva, una iniciativa del alcalde saliente José Reyes Ferriz (PRI) que cautivó a los medios informativos en las jornadas preelectorales municipales y estatales. En una ciudad de muertas y desaparecidas.

Los asesinatos continuaban —siendo noticia por unos minutos o por unas horas— hasta el siguiente *muertito*, pero desde la cárcel se mostraba el *glamour*. Que ya no existe. Ni fuera de la cárcel: en las discotecas, restaurantes y fiestas que se celebraban en Juaritos.

Ganó una corona pero perdió a sus amigas. Nadie le habla. Sus compañeras dicen que fue comprado el concurso. Y ella responde con que le tienen envidia. El jurado estuvo formado por varios miembros de medios informativos entre otras personalidades locales.

Ahora es una mujer cautiva, Miss y viuda. Y sus hijas estadounidenses se suman a los más de 10.000 niños huérfanos en Ciudad Juárez.

Cecilia Flores sigue soñando en su celda: «Me gustaría hacer una telenovela con Miss Universo (la mexicana Jimena Navarrete) sobre la guerra contra el narcotráfico. Hay mucha gente inocente y muy buena que no debe estar aquí. Y otros muchos ricos y poderosos que son los malos y están libres».

Hoy asesinaron en Ciudad Juárez a dieciocho personas más.

Luz María Dávila entre dos ataúdes. En el velatorio a sus dos únicos hijos asesinados en la masacre de Villas de Salvárcar, 2 de febrero de 2010.

Abrazos y fotos. Cuando llegué al velatorio en las casitas de los jóvenes asesinados en Salvárcar, sentí que no eran pandilleros ni pertenecían al crimen organizado, como el presidente Felipe Calderón justificó sus asesinatos. Fueron pequeños detalles que después fui confirmando. En las fotos de los chavos descubrí a los mejores deportistas y estudiantes.

Cortejo fúnebre para los jóvenes. Esta imagen me impresionó. Las carreteras principales de Juárez vacías, en plena luz del día, y coches fúnebres, uno detrás de otro para los jóvenes. Ese día no hubo sol. Y llovió como nunca en Juárez, 3 de febrero de 2010.

Dolor desierto. Cuando vi a estas chavitas llorando a lo lejos del entierro de uno de sus amigos, pensé en lo que tienen que vivir muchos adolescentes sin haberlo buscado. Al fondo, el paisaje de los pobres de Juárez. En el desierto.

Miss Cautiva. Conocí a Cecilia Flores en la prisión del Cereso municipal seis meses antes de tomar esta foto. Soñaba con alzarse con el concurso de belleza Miss Cautiva y sonreía. Ahora llora: acaban de matar a su esposo, 5 de octubre de 2010.

Huyendo de su casa. Éste es uno de los momentos que me impactaron más, más que los cadáveres, porque quizá sea la metáfora de vida actual en Juaritos. Huir para no morir. En unos minutos, tras tirotearles la casa, la familia del misionero católico César A. huyó de Ciudad Juárez con lo poco que pudieron tomar, 14 de junio de 2010.

Volver a estudiar, sin Héctor, de 13 años. Siempre me pregunto qué es lo que queda detrás de un asesinato. Decidí ir al día siguiente de su muerte a la escuela donde estudiaba. El silencio, la silla vacía... En la clase ya habían perdido a otro compañero y varios de ellos eran huérfanos, o sus padres habían sido secuestrados, extorsionados. En la puerta colgaba un letrero en memoria de Héctor Iván Rodríguez, 2 de septiembre de 2010.

Noche de crimen. Berenice Montes, de 15 y Nancy de la Torre, de 16 años están en el automóvil: asesinadas. Están rodeadas de otros tres jóvenes, convertid en cadáveres, y familiares. Colonia Manu Valdez, 17 de junio de 2010.

La muerte de día. Cuando encontré el cuerpo de este joven tendido en la calle, pensé en lo fácil que es morir en Juárez. Y más por el día. La mayoría de los asesinatos se producen durante la jornada laboral. Los menos, en la madrugada. Le llamaban Junior.

Quema de droga. A veces el ejército convoca a los reporteros a ceremonias de quema de la droga incautada, que es presidida por los altos mandos. Como si fuera una manera de celebrar que están trabajando. Al igual que los políticos compran espacios publicitarios para mostrar que construyeron un hospital, como si ése no fuera su deber. Es la política de la imagen.

En su mundo de dolor. Sentada en una silla, a la entrada de su casita, María Guadalupe Güereca vela a su hijo Sergio Adrián Hernández, de 15 años, asesinado por la Patrulla Fronteriza estadounidense el 7 de junio de 2010. Lo hace sin poder ver el ataúd: como los niños que se asoman por la ventana.

Una misma tierra, dos mundos. Encontré a Olga, la mamá de Mónica Janeth Alan de nuevo en otra protesta, intentando que no se olviden de su hija desaparecida. Ésta fu en la valla que separa El Paso, Tejas, de Ciudad Juárez, Méxic por el aniversario de la masacr de Villas de Salvárcar, 29 de enero de 2011.

Despedida a dos hermanos. Cada día más común en Ciudad Juárez: familias que pierden a varios hijos. Agustreberta (vestida de gris en el centro de la imagen) en el funeral de sus dos hijos: Roberto Jacobo Vital, de 14 años, y Luis Alberto, de 17, asesinados en la masacre de la colonia Horizontes del Sur, 25 de octubre de 2010.

En el entierro de los Vital. No me gustan nada los entierros. Se impregna el dolor. Son los mismos gritos de los que quedan, ahora con otros nombres y apellidos.

Sin ella, foto de familia. Claudia Ivette González, en un retrato: desaparecida. Josefina, su madre (a la derecha de la imagen), con su hija Mayela y nietas. Esta foto la tomé el día en que la Corte Interamericana de Derechos Humanos declaró culpable al Gobierno de México de tres feminicidios en el campo algodonero. Y Mayela (en el centro de rosa) se iba a la fábrica maquiladora hasta la medianoche: por las mismas calles de arena y sin alumbrado público en las que desapareció su hermana, 19 de noviembre de 2009.

Resistencia, la lucha sigue. Brenda Alicia García Ruiz, la mamá de Brenda Berenice Castillo (desaparecida) recibe el ataúd de Marisela Escobedo, la mamá de Rubí, también asesinada, junto a otros ciudadanos convertidos en activistas. En la foto, de izquierda a derecha, Olga Esparza con el cartel de Mónica Janeth Alanís, su hija desaparecida; Brenda Alicia, Itzel González, Luis Rodríguez y Julián Contreras, 17 de diciembre de 2010.

Volver a enterrar (a dos pares) de hermanos
Lunes 25 de octubre de 2010

En el cementerio Resurrección del Sauzal las seis fosas están listas. No hay enterradores. Ni palas: los padres van en busca de ellas. Los niños juegan entre las tumbas. Los policías federales y municipales vigilan para que las amenazas de rafaguear a los asistentes no se conviertan en realidad.

El fuerte viento cubre de arena los rostros de los familiares y amigos de los jóvenes convertidos ahora en cadáveres. La mayoría de los presentes son adolescentes y niños a los que se les borró, de nuevo, el futuro. No hay mariachis. Ni grupos de música norteña. Este cementerio es tan pobre que aquí ni pueden lograr unos pesos estos artistas de la fiesta obligados ahora a cantar a la muerte.

Los matachines del grupo de danza Juan Pablo II van de cadáver en cadáver. Recordando lo que les enseñaron en su iglesia para no caerse del todo.

Es lunes 25 de octubre, un día en el que Ciudad Juárez vuelve a enterrar a sus jóvenes, a dos pares de hermanos, a amigos en grupo.

Ella estaba en medio de los dos. Como hace unas horas. Cuando la conocí en su casita de la colonia obrera de Riberas del Bravo, rodeada de varias viviendas abandonadas. Veía a uno. Después al otro. Sin saber qué hacer: ni llorar.

A la derecha su hijo Roberto Jacobo Vital, de 14 años, estudiante de secundaria. A su izquierda, Luis Alberto, de 17, ayudante en una iglesia mientras intentaba buscar trabajo o financiación para poder continuar sus estudios.

Están entre ataúdes de color azul cielo, el mismo que las paredes de su hogar que se levanta con los 500 pesos a la semana (unos 41 dólares), que ganan ella y su esposo en una fábrica maquiladora.

«Me siento muy triste y sola sin mis hijos. Que hagan justicia pues mira que no se merecen acabar así. No eran vagos, eran buenos», comenta Agustreberta Vital, nacida hace 47 años en una comunidad indígena purépecha, en el estado mexicano de Michoacán.

Sus hijos salieron (en ataúdes) hace cuatro horas de su hogar camino a su funeral. Los llevaron en dos trocas*, lentamente para que el grupo de danza del centro católico Juan Pablo II siguiera a sus compañeros, ahora muertos, a ritmo del tambor.

A Óscar Cruz, el instructor, le hubiera gustado que estuvieran danzando más integrantes del grupo de quince personas.

Faltan siete, los que fueron asesinados el viernes 22 de octubre en una fiesta de cumpleaños en la colonia Horizontes del Sur, donde murieron catorce y varios siguen heridos. «Acabaron con Juan Pablo II», dice. El sábado ya no pudieron danzar en el rosario viviente.

Al llegar a la iglesia Nuestra Señora de los Milagros, unidades de la policía federal con la municipal custodian la entrada. Dentro ya están los ataúdes de otros dos hermanos, Sotero e Ismael Reyes Ricario, de 19 y 22 años respectivamente.

Abrazado a los otros tres hijos que le quedan vivos. El duranguense Ismael Reyes, de 42 años, comenzó a aplaudir a los cadáveres de sus hijos. Comenzó a cantarles «Amor eterno», la canción de Juan Gabriel, el hijo adoptivo de Juaritos.

Llegó el cadáver de Luis Ángel Chavira, de 20 años. También el de Claudia Aylin Camargo, de 13. Y con ellos, más llantos, más gritos de dolor sin respuestas. Como siempre.

Y en la misa, once religiosos y el obispo Renato Ascencio León habló como nunca lo había hecho, horas después de que apareciera en Internet un vídeo del her-

* Camionetas.

mano de la ex procuradora de Justicia Patricia González (secuestrado y apuntado con las armas de varios hombres vestidos con traje militar) donde la acusaba de ser «la autora intelectual de varios crímenes» y «dar protección a La Línea por 100.000 dólares mensuales».

«Es necesario que todos nosotros manifestemos con voz fuerte nuestro rechazo a la violencia —dijo el obispo—, que padres de familia exijan ante la autoridad para que se haga justicia. Nos prometen que nos van a ayudar, ¿dónde?, ¿de qué manera pueden ayudar? Que se castigue a quienes han cometido estos delitos. Padres, parientes, pidan para que se haga justicia».

Los cuerpos de las primas Daniela y Perla Figueroa, de 16 y 22 años, llegaron a la iglesia poco antes de acabar la misa. Sus familiares habían recibido amenazas mientras las velaban. Hubo que acomodar de nuevo los féretros para hacerles espacio. También para Vicente Vital, de 25 años y hermano de Luis Alberto y Roberto Jacobo, que se mantuvo en medio de los dos ataúdes durante todo el funeral.

Los ocho ataúdes, de jóvenes entre los 13 y los 22 años, fueron bendecidos por el obispo. Al salir declaró a los medios: «Aquí no viene el presidente de la República, ¿para qué lo queremos? Tiene que estar aquí en el momento decisivo de nuestras ciudades. El día que viene, ¿a qué viene? ¿A que lo aplaudan? ¿A que le griten o a lo que sea? Yo creo que en estos momentos el presidente de la República, el gobernador, el presidente municipal deben estar, necesitamos que se hagan presentes con la gente».

Termina el funeral. Más tensión. Corre el rumor de que los van a rafaguear en el cementerio si no los entierran antes de las 5.00 de la tarde. Seis de los féretros se dirigen al panteón Resurrección de El Sauzal, en el Valle de Juárez. Las primas van al de San Rafael.

Tomo fotos escuchando los gritos. Los llantos que suenan igual en cada una de las tumbas. Imágenes que se van repitiendo día tras día en Juaritos, con otros nombres y apellidos, con otras aventuras de vida fulminadas en unos segundos.

El entierro masivo me recuerda al de Villas de Salvárcar donde fueron asesinadas quince personas en una fiesta estudiantil, a unas ocho cuadras de donde ocurrió la ahora masacre de la colonia Horizontes del Sur. Hace nueve meses.

Me voy del cementerio sin saber qué nos espera mañana o sabiéndolo: más muerte con autoridades que no saben garantizar ni lo más mínimo para el ser humano: seguridad para vivir un día más. O agua o electricidad o un salario digno.

Los que disparan ahorita a los estudiantes son los policías federales

Viernes 29 de octubre de 2010

Ella, al comienzo de la marcha por una de las principales avenidas de Ciudad Juárez. Escucha unos disparos de los policías federales. Corre. Entre las calles Hermanos Escobar y la Plutarco Elías.

En su cabeza (y corazón) le golpean las imágenes de sus dos hijos asesinados, el 29 de enero en la colonia Villas de Salvárcar.

Va en busca de su sobrina. Y la encuentra dentro del estacionamiento* del Instituto de Ciencias Biomédicas de la Universidad Autónoma de Ciudad Juárez (UACJ) cerca de un joven, con las vísceras fuera. Desangrándose.

---

* Aparcamiento.

«No se vale. Hay niños, jóvenes, mamás», dice Luz María Dávila, sin sus dos únicos hijos: que mañana sábado cumplirán nueve meses de haber sido asesinados.

Armas en alto. Apuntando a los manifestantes de la undécima «Kaminata contra la muerte» con la que comenzará el primer Foro Internacional contra la Militarización y la Violencia: Por una cultura diferente. Entre los manifestantes están destacadas abogadas en la lucha contra los feminicidios y miembros de la escena cultural de la ciudad. Unos jóvenes han pintado consignas en contra de los militares. Las tres unidades 12428, 12401 y 12336 se dan a la fuga.

«¡Asesinos! ¡Asesinos!», gritan los manifestantes.

Llaman a la ambulancia. No llega. La vuelven a llamar. Una doctora de la universidad decide llevarlo en su propio vehículo, a pesar de que temen que moverlo con las vísceras fuera pueda presentar un riesgo para el joven. La universidad envía un equipo de doctores hasta el hospital para intervenirlo de urgencia.

Él es Darío Álvarez Orrantia. Tiene 19 años. Estudia Sociología. Y recibió un balazo por la espalda.

Momentos de confusión: algunos dicen que está muerto, pero el universitario está vivo. Estable.

Los manifestantes se refugian en la universidad. Temen salir. Los agentes federales rondan por el exterior del instituto. Llegan maestros. Para unirse a los jóvenes. Hay momentos de nerviosismo, división entre los manifestantes y algunos piden que los reporteros —que han llegado en masa por el incidente y no se acreditaron para el Foro— se vayan. Y hay forcejeos.

Al final comienza una rueda de prensa. Con todos los medios. Los estudiantes dicen que en Ciudad Juárez no hay una guerra contra el narcotráfico y piden la renuncia del presidente Felipe Calderón.

El profesor uruguayo de la Universidad Nacional Autónoma de México denuncia que Ciudad Juárez se ha convertido en un laboratorio de guerra urbana para eliminar a los que consideran la escoria social.

«Hay una política deliberada de generación de caos y violencia por parte del gobierno de Calderón», señala Carlos Fazio, invitado para el Foro.

«Lo que sucede en el país... en Juárez, no es una guerra contra las drogas. Si fuera así en Colombia después de diez años ya habría bajado el tráfico y la producción de cocaína. Lo que sucede es una política de control del negocio de la criminalidad».

El diputado federal José Narro Céspedes (PRD), de la Comisión de la Concordia y Pacificación, anuncia que este ataque contra los manifestantes lo llevará hasta el Congreso.

Pasan las horas. Algunos estudiantes deciden encerrarse como protesta en la dirección del Instituto de Ciencias Biomédicas. En una cartulina pegada al cristal se expresan: «Si nos tocan a uno, nos tocan a todos». Otros regresan a sus casas con el temor a represalias.

Algunos maestros anuncian que la universidad ha interpuesto una denuncia por el suceso y que ésta correrá con los gastos médicos del estudiante.

Al irme una joven me saluda: «Soy Kori. Me mataron a mi compañero cuando regresaba de la Ciudad de México de un foro estudiantil».

A Kori le esperan todos los días su niña de 2 años y sus alumnos.

Hoy, viernes 29 de octubre, fueron asesinadas en Ciudad Juárez ocho personas más. Con ellas, ya hay 2.649 muertos en este año y 7.026 desde enero de 2008. Más los 10.000 niños huérfanos. Y los miles de desplazados en una Juaritos: que ya no existe.

Los cuerpos de las cuatro mujeres y el joven asesinados en la madrugada de ayer en una rutera de una maquiladora en*

---

* Autobús.

el Valle de Juárez —a unos cuarenta minutos en auto de Juaritos— van llegando a sus casitas en los poblados de Guadalupe y Praxedis G. Guerrero. (Hace unas semanas, Praxedis fue noticia por tener a Marisol Vallés, de 20 años, como jefa de la seguridad pública, que ayer firmó la primera renuncia de una de sus agentes. Como ella, está sin cobrar desde el pasado 10 de octubre, que tomó posesión del cargo).

En el hogar de los Vázquez Guerrero en Praxedis G. Guerrero, la trabajadora Rosalía Esther Vázquez Holguín, de 30 años, está en un ataúd. Y Brisa, de 7 años, se sube a una silla para acariciar el rostro en lágrimas de su papá, José Luis Guerrero. Lisette, de 10 años, abraza a su madre muerta. El pequeño José Luis, de 12, sólo quiere dormir, en la cama que comparte con sus hermanos, en el único cuarto de la casa.

Los muertos suceden a los funerales en un círculo que se repite cada día. La noticia dura aquí hasta otro muerto más. A veces, sólo unos minutos.

Actualización: poco antes de las 10.00 de la mañana del sábado recibo una llamada de la policía federal para avisarme de su versión de los hechos durante la manifestación: los agentes dispararon (al aire) porque los manifestantes tenían el rostro cubierto.

Algunos sí se cubren el rostro por temor a ser levantados y que los asesinen por participar en protestas contra la militarización, según comentaron varios de ellos. Los agentes federales y los peritos de criminalística también llevan los rostros cubiertos como medida de seguridad. El universitario herido, no.

Dos agentes están siendo investigados, según la policía federal.

El estudiante será intervenido de nuevo esta tarde del sábado, y necesitará otras cuatro cirugías más para reparar sus intestinos y lesiones en las vías urinarias: el médico cirujano Arturo Valenzuela confirmó que el joven recibió un balazo en la espalda con salida en la pared abdominal anterior del lado derecho.

Diez asesinados más, y el sábado continúa.

Juárez sin el doctor Betancourt: secuestrado, torturado y asesinado

Domingo 5 de diciembre de 2010

Un mensaje de texto en mi celular: unas horas después de que comandos armados irrumpieran en dos centros de rehabilitación y asesinaran a balazos y granadazos a cuatro personas, y dejaran heridas a ocho bajo la mirada de policías federales que no actuaron, según testigos. Más los tres asesinados durante la mañana, por ahora.

Es domingo, 10.00 de la noche, 5 de diciembre de 2010:

«Hola Judith. Malas noticias. Apareció asesinado el doctor Betancourt».

Lo llamo y se desahoga:

«Apareció torturado. Es un médico, qué daño les hace. Uno intenta hacer la vida normal pero no hay futuro, uno tiene que quedarse aquí en un lugar donde no hay futuro, ni siquiera puedes trabajar. No hay trabajo y el poco que hay... te matan por hacerlo, por trabajar honestamente».

No puedo creerlo. Espero que esto cambie, porque ya Juárez está muerto y más con esto. Ya valió. Ya nada se puede hacer, con qué compras una vida».

El jueves —tras el secuestro del ortopedista José Alberto Betancourt, de 57 años, y profesor de la Universidad Autónoma de Ciudad Juárez (UACJ)— a las 8.30 de la noche en el estacionamiento del Centro Médico de Especialidades me había llamado, con su voz entrecortada, nervioso, pero con la esperanza de que apareciera vivo.

Al día siguiente me comentó que los secuestradores pedían un rescate de dos millones de pesos. Se estaban movilizando para conseguir el importe, y con ello venían los pequeños detalles para entregar el dinero, como el vehículo que utilizarían. Él prefiere mantenerse en el anonimato por seguridad.

En su casa la doctora Leticia Chavarría, presidenta del Comité Médico Ciudadano, comienza a llamar a los doctores más cercanos para avisarles del desenlace del nuevo ataque a su gremio y a los pacientes que atendía, que se quedarán sin su médico. Este mismo gesto lo ha repetido por «veinte ocasiones desde el 2008», el número de doctores que han sido secuestrados en Juárez.

Dos de ellos fueron asesinados tras ser secuestrados. El primero, el doctor Alfonso Rocha, que apareció el 10 de septiembre tras desaparecer durante mes y medio. Ahora le tocó al ortopedista Betancourt, que trabajaba en un centro hospitalario grande, a diferencia de las otras víctimas.

«Sientes una impotencia. Sientes angustia. Sientes dolor. Cómo en un segundo destrozan la vida de un doctor, de una vida dedicada a su profesión. Una persona tan decente, de corazón noble. En muchas ocasiones él hizo su labor sin cobrar», me comenta la doctora Chavarría.

Y me dice cómo en Juárez los médicos que no han huido de la ciudad están «dando a escondidas la consulta, en lugares sin letreros, sólo por citas, a puerta cerrada o en otros consultorios para que no los ubiquen».

De esta mujer de voz dulce surgen las exigencias para que no los maten. «Las autoridades no han hecho lo suficiente para que no sigan sucediendo hechos como éste. Aquí no sólo (se requiere) la unidad del gremio, sino de toda la sociedad —a nivel de exigencia— para que atiendan la violencia que hay en esta ciudad».

No pagaron el rescate. Estaban negociando. Ayer sábado, hacia las 7.00 de la tarde, unos hombres armados abandonaron un cadáver en mitad de la calle Autlán en la colonia Felipe Ángeles. El hombre asesinado tenía golpes por todo el cuerpo y su cabeza estaba envuelta con cinta adhesiva.

Según un comunicado de la fiscalía general, el cadáver fue localizado sobre la vía pública boca abajo. Como huellas de violencia mostró heridas producidas por proyectiles de arma de fuego en extremidad cefálica y región dorsal.

Al parecer, los compañeros del Servicio Médico Forense encargados de realizar la necropsia lo identificaron. Y se comunicaron con la familia del doctor Betancourt. La vida sigue como si todo fuera normal.

La policía federal y el ejército enviados por el gobierno federal rondan por las calles como los cadáveres: 2.916 personas asesinadas durante este año en Juárez, 7.292 desde enero de 2008.

Si protestas, te matan: Marisela Escobedo (la mamá de Rubí)

Viernes 17 de diciembre de 2010

Regresa del Palacio de Gobierno del estado de Chihuahua: en un ataúd.

Unas portan siluetas (rosas) de mujeres: «Marisela, crimen de estado». Otras madres de desaparecidas llevan las fotos de Rubí Frayre, la hija asesinada de la ahora también asesinada Marisela Escobedo.

Saludo a la señora Evangelina que desde 1998 busca a su hija Silvia Arce. Y me pregunto cómo las autoridades pueden dormir en paz.

Están en fila. Una detrás de otra: con estudiantes, que han sido amenazados y golpeados por la policía federal y con activistas.

Viernes en la tarde, a la entrada de Ciudad Juárez, Kilómetro 20. Marisela Escobedo, la mamá de Rubí, retorna de la ciudad de Chihuahua donde estuvo pidiendo justicia enfrente del Palacio del Gobierno estatal y el jueves la asesinaron.

Su hija Rubí fue calcinada en agosto de 2008 por su pareja Sergio Barraza Bocanegra, que fue exonerado en abril de este crimen y puesto en libertad.

Cuando la camioneta entra por la ciudad, un centenar de personas la reciben con: «¡Marisela, vive, la lucha sigue!». Lo hacen juntando sus manos, rodeando el vehículo donde van sus hijos, con su madre muerta, bloqueando la carretera por unos diez minutos.

Berta Alicia García Ruiz —la mamá de Brenda Berenice Castillo, desaparecida a los 17, hace casi un año— se acerca hasta la ventanilla para darles ánimos.

«Nos quitaron a una gran compañera de lucha. Ella nos enseñó a luchar, a no tener miedo, que nos defendiéramos de todo», comenta.

Lo mismo hacen otras, como Olga Esparza —la mamá de la universitaria Mónica Janeth Alanís Esparza— desaparecida en marzo del pasado año, y su esposo Ricardo, con la que tantas veces habían compartido marchas pidiendo justicia.

El estar ahí durante más de dos horas esperando a que llegara el féretro no fue fácil para muchos de ellos, en una ciudad donde el transporte público es pésimo y la crisis económica azota con fuerza.

Luis Eduardo Rodríguez, de 49 años y desempleado de una fábrica maquiladora, gastó los últimos cinco pesos que tenía para recibir a la mamá de Rubí. Llegó desde la colonia Villas de Salvárcar, donde en enero fueron asesinadas quince personas en una fiesta estudiantil y su hija recibió tres disparos de los que intenta recuperarse.

«Me mueve el hartazgo de la injusticia, y la impunidad y que sean los mismos gobiernos los que hayan posicionado la injusticia», dice. «Tengo mucho miedo, pero el miedo no me va a vencer».

Miro los rostros de los manifestantes. Y reconozco a Adrián Fuentes Luján, el recién graduado de diseño de la Universidad Autónoma de Ciudad Juárez, que fue *levantado* por la policía federal y le obligaron a tomarse fotos con armas, tras haberse convertido en vocero espontáneo de la manifestación pacífica del foro contra la militarización, donde los policías federales dispararon contra los manifestantes e hirieron de gravedad a Darío Álvarez Orrantia, estudiante de sociología. Ahí estuvo la mamá de Rubí.

Veo a Julián Contreras, miembro del Comité de Vecinos de Villas de Salvárcar, que la semana pasada fue agredido por los policías federales, que le robaron su cartera, y ahora porta la insignia que siempre llevó Marisela Escobedo con la que pide justicia.

Y al verlos me doy cuenta de los que no están. De los que tuvieron que huir o fueron asesinados.

«Estamos aquí para solidarizarnos, para acabar con la versión oficial que nos dice que se están matando entre ellos (narcos), cuando vemos todo lo contrario. Es una política de terrorismo de Estado, cuando las fuerzas federales nos intimidan, nos golpean por el simple hecho de pedir paz y justicia para la ciudad», subraya Contreras, de 27 años, que participó, entre otros proyectos, en la fundación de una biblioteca en una casa abandonada, de la que fue robada la semana pasada una de las cuatro computadoras, la que contenía una base de datos de los vecinos.

Y Contreras, licenciado en Letras, comenta: «Yo estoy esperando para saber si mi país (México) y si el mundo va a permitir que se extinga la poca resistencia que hay para detener esta barbarie del estado mexicano contra los juarenses».

Actualización: Marisol Escobedo, enfermera jubilada de 52 años, apenas pudo ser velada en la funeraria donde se encontraba. En la mañana del sábado el negocio de su pareja Maderas y Materiales Monje fue incendiado y se llevaron a su cuñado, Manuel Monje Amparán, de 37 años.

La familia adelantó el entierro, que estaba previsto para la tarde del domingo, y la sepultó para tratar de evitar otros atentados. La despidieron con un gran aplauso. Como una gran heroína.

Desde que fue asesinada, Ciudad Juárez se siente más triste: como si ella se hubiera convertido con su lucha en la mamá de todas, de todos. Como lo hizo con su nieta, la hijita de Rubí, de casi 3 años, ahora huérfana también de abuela.

NAVIDAD EN LA CIUDAD DEL LUTO CONSTANTE (Y LA ALEGRÍA POR VIVIR)

Viernes 24 de diciembre de 2010

Casi no me atrevo a decir Feliz Navidad: ocho asesinatos en este día. Ahora que estoy lista para celebrar sólo pienso que en Juaritos, a pesar de los miles de *muertitos*, no se ha perdido la alegría por vivir.

Me conmueve la dignidad de los que siguen sonriendo. Y eso que asesinaron a sus familiares, amigos, vecinos. Con su lucha me siguen enseñando en este camino fantástico que es la vida.

Esta mañana me cantaron «Roja Navidad»: cambiaron «Blanca» en referencia a la sangre que llevábamos nada más comenzar el 24 de diciembre.

Escuché esta adaptación del popular villancico de la boca de uno de mis tantos admirados colegas locales que ha perdido a diez amigos en este año, mientras sus ojos trataban de contener la rabia de ver cómo están matando a su ciudad: familias esperando a sus hijas desaparecidas... o justicia. Otras miles que se preparan a vivir su primera Navidad con sus hijos asesinados.

Madres de chivos expiatorios —inocentes convertidos en culpables por las autoridades— en busca de chamba para poder llevar unos tamalitos a sus hijos en prisión:

defendidos por abogados públicos del estado que los condenan a la injusticia.

Más los que tuvieron que huir para no ser asesinados. Como los hijos de Marisela Escobedo, la mamá de Rubí, detenidos por las autoridades migratorias estadounidenses, siguiendo el proceso para pedir asilo.

Los hay que no tienen para cenar ni para calentarse, como la familia de Sergio Adrián Hernández Güereca, asesinado por un agente de la Patrulla Fronteriza estadounidense en territorio juarense, bajo las promesas incumplidas de justicia y ayuda de las autoridades. Las mexicanas que no han cumplido ni las materiales: la casa que anunció a los medios de información el ahora ex alcalde José Reyes Ferriz cuando la presión internacional estaba sobre este caso.

«Es una Navidad sin la alegría que uno espera cada año. Yo no espero nada de nada, más que esperar en Dios», me dice Jesús Hernández, padre del menor asesinado.

Ésta es una ciudad en luto, sin adornos en los negocios que quedan abiertos, y en la mayoría de las casas que no han sido abandonadas.

Pasan las horas del 24 de diciembre. Y la familia de la estudiante de la Universidad Autónoma de Ciudad Juárez, Mónica Janeth Alanís Esparza, que ayer cumplió años, espera «un milagro»: que aparezca.

Que deje de ser una de las muchachas desaparecidas como lo es desde hace un año y ocho meses bajo la indiferencia de las autoridades que no investigan, como desde hace casi dieciocho años en que las mujeres (pobres) comenzaron a esfumarse. Ahora sólo la ven en fotografías.

«Hace veinte años me la trajo Santa Claus. Espero que hoy me la devuelva», dice Olga Esparza, la mamá de Mónica Janeth.

Y su hijo Jaime, de 17 años, la abraza. Su esposo, Ricardo, bromea. Y juntos la esperan, intentando sobrevivir un día más, sin derrumbarse.

Los cadáveres de los que hoy pensaron celebrar la Nochebuena siguen llegando al Servicio Médico Forense, que se suman cerca de 7.500 asesinados en Ciudad Juárez desde hace cuatro años.

Actualización: estoy en el paraíso de la vida, con todos sus matices, pero no lo reconozco. Las calles están más desiertas que nunca, igual que los puentes internacionales que separan Juaritos —la ciudad más peligrosa del mundo— de El Paso, la más segura de Estados Unidos.

Al final fueron nueve los asesinados en Nochebuena. Y a estas horas hay tres familias más que estarán preparando un funeral en lugar del tradicional menudo o pozole para saborear en este día de Navidad.

Comienza el 2011 sin poder decir a miles (en ataúdes) Feliz Año

Viernes 31 de diciembre de 2010

Cielo gris (rarísimo en Juaritos): montañas nevadas. El frío del desierto. El rojo de hoy en dos asesinatos y una mujer herida. Es 31 de diciembre de 2010 en Ciudad Juárez, el año más sangriento en su historia: 3.111 asesinatos (bajo el imperio de la impunidad).

Estoy en un salón de baile: donde fueron asesinadas hace mes y medio cinco personas y heridas otras seis. Todo preparado para celebrar la noche del Fin de Año.

Algunos de los 38 empleados que abandonaron su puesto de trabajo por el terror que vivieron aquella noche han regresado estos días de Navidad: no encontraron otra manera de dar de comer a sus hijos.

Esperan a los clientes. Si en una noche entre semana acudían 350 personas, ahora unas diecisiete. Los sábados, han pasado de 550 personas a sesenta y cinco. Hasta que ocurrió la masacre este salón de baile seguía vivo, aunque con muchos menos clientes que antes de 2008 cuando comenzó la llamada guerra contra el narcotráfico del presidente de México Felipe Calderón.

«Volver a abrir y empezar es mucho más difícil, porque estás levantando a un cadáver», me comenta Fran, el dueño del lugar, de 49 años.

Hace un año, a estas mismas horas, en un 31 de diciembre, su rostro era otro. Las cumbias y norteñas (que tanto me gustan) sonaban con alegría y me deseó un *felizote* año. Los clientes, muchos de ellos obreros de las fábricas maquiladoras, comenzaban a llegar a pesar de la inseguridad que azotaba a una Juárez militarizada. Pero aún no le había tocado a su local, que se encuentra en la misma calle donde fue incendiado hace dos semanas el negocio de maderas de la pareja sentimental de Marisela Escobedo, la mamá de Rubí, también asesinada.

Hoy cuando llego a su oficina, llena de fotos de otros tiempos, lo encuentro borrando de su celular varios números. Me dice que fueron unos cien: entre amigos y conocidos (asesinados) este 2010 que está a punto de finalizar.

«Más que miedo lo peor es que nos estamos acostumbrando a vivir entre cadáveres. No hemos sabido exigir a las autoridades que cumplan con su trabajo».

Entre la oscuridad de los negocios y casas abandonadas de la colonia La Cuesta, surge una luz de neón que anuncia la discoteque DESESPERADOS. Fran eligió el nombre hace cinco años «cuando Juaritos era una ciudad de oportunidades, de sueños, y cuando estás trabajando de domingo a sábado estás desesperado por terminar y divertirte».

No hay ningún cliente. La noche es larga. El año se despedirá a ritmo de «La Sonora La Actual», rogando al universo que no sea a ritmo de balas.

«Ahora lo que estamos es desesperados por lo que estamos viviendo».

Cena de Nochevieja: pasé una noche hermosa. Son las doce. Llegan las uvas, el brindis, los agradecimientos y los deseos en voz alta. Cada uno de los miembros de una extensa familia, desde los más chicos hasta los más mayores con su sabiduría, comienzan a hablar en respetuoso orden: piden por los que fueron asesinados y sus familias; para que el año próximo estén en esa misma mesa todos juntos; que Juárez vuelva a ser la de antes, que haya paz.

Me emociona el rostro de uno de los más jóvenes cuando dice que este año se había sentido muy oprimido y que la familia y Dios le habían ayudado a no deprimirse. Al terminar la ronda de deseos, le pregunté por qué se había sentido así. La respuesta: su mejor amigo había sido asesinado; varias mamás de sus amigos, también. Él tiene 21 años. Estudia ingeniería.

Pienso en el presente de los que viven una realidad sin tener que vivirla: por una ficticia guerra. Y en el futuro.

Pagar cuota de extorsión para seguir vivo en Juaritos

Miércoles 5 de enero de 2011

Cada semana recibe una llamada que dice así:

«Oiga, jefe, ahí vamos por nuestro dinero».

Ellos llegan. Estacionan su vehículo y dos de ellos entran al local.

Él intenta guardar la calma. Sabe que lo que está comprando es un día más de vida: para su negocio, para su familia. En la ciudad sin ley, donde se incendian edificios o se mata también por no pagar una cuota de extorsión.

Llegué unos minutos antes de que este pequeño comerciante comenzara con el rito semanal: pagar la cuota de 5.000 pesos semanales (unos 413 dólares) al crimen organizado. Los dos extorsionadores iban vestidos normal, como si fueran unos clientes, y se saludaron amigablemente.

Pero ya que ellos se fueron con su dinero —el poco que puede ganar ahora debido a la inseguridad—, me dice:

«Es una burla y peor la burla que nosotros los vemos, pasan las patrullas de los policías federales y lo curioso es que ellos no los ven».

Al llegar a un local en el que me encanta devorar los fantásticos *burritos* de Juaritos compartí con el dueño lo que había visto: me sorprendió la normalidad con las que los extorsionadores habían entrado a aquel negocio y la aceptación (para no morir) del pequeño empresario.

Él me contó que también pagaba cuota y lo que le ocurrió hace unos días: le faltaban 300 pesos (unos 25 dólares) para completarla. Ellos le dijeron: ¡te vamos a matar! Él les intentaba explicar que lo entendieran, que no le salió*, que tiene una familia...

Le pusieron el arma en la sien. Él sintió que era el final, hasta que sus empleados reaccionaron y entre todos lograron juntar los pesos para completar la extorsión de 1.800 (unos 149 dólares) a la semana.

«Más que miedo es una impotencia lo que se siente. Ciudad Juárez ya no aguanta un año más», comenta.

Y me presenta a un cliente que tiene un bar en la ciudad, donde paga cuota de extorsión al crimen organizado y a los policías federales.

«Los federales son unos abusones y piden más (dinero)», afirma. «No vemos con claridad quiénes son los enemigos, finalmente al gobierno y a los malos ya los vemos igual, porque hablan el mismo idioma, el mismo lenguaje, ésa es la tristeza a que nos enfrentamos en la actualidad».

Era una tienda de ropa íntima para mujeres. Ahora está cerrada, en alquiler. Surge en un edificio donde se encuentra el Hotel Continental, uno de los muchos alo-

* Que no pudo conseguir más dinero.

jamientos donde se hospedan los policías federales con costales de arena para protegerse de posibles ataques. El local tiene un anuncio: «Se renta». Y una pintada en rojo: «No incluye cuota».

Unas 900 tiendas de abarrotes se han visto obligadas a cerrar por no poder seguir pagando la cuota de extorsión, según datos de la Cámara Nacional de Comercio en Pequeño (Canacope). En el 2008 cerraron 200; en el 2009, 350, y en el 2010, 500. Las extorsiones afectan a todo tipo de negocios, también a las iglesias y las escuelas.*

* Ultramarinos.

Vivir en la muerte: los oficios

El Buitre

Los sesenta casquillos en la arena. Y él acercándose con su camisa planchada, impecable, de color blanco. Los pantalones son de mezclilla. Ve dos cadáveres, la mirada de unos niños que sonríen como si fueran inmunes al dolor. Y no sabe qué le aterra más: si el presente o el futuro.

De pronto descubre otros dos. Más uno: son cinco los nuevos. Los convertidos en *muertitos.* Como en una película. Real.

Se fija en los cuerpos tirados en las calles sin pavimentar de Ciudad Juárez. La puerta del Nissan 2001 está abierta como si hubieran intentado huir y al hacerlo se abrazaron en la muerte: uno encima de otro.

Una mujer sale de la casa de enfrente con una cobija* para cubrir a los jóvenes. Llegan los gritos de las madres, las novias, los novios y él preferiría huir. Le gustan más los muertos que ya no pueden susurrar ni lo que casi nunca se sabrá con precisión en Ciudad Juárez: quién los mató y por qué. Por el cerro suben riadas de personas que se distribuyen en el triángulo mortífero de las calles. Lo hacen para salir de la agonía de la duda: ver si les tocó o no a sus hijos.

Ya cayó la noche.

---

* Manta.

Del vehículo los rafaguean, es un Pontiac que surgió con un atardecer mágico de feroces rojos y que ya se ha esfumado. Primero dispararon a un chavo. Luego dieron la vuelta, comenzaron a perseguir al carro de los dos jóvenes y al de las chicas, de 15 años. A una de ellas le habían asesinado un hermano hacía unos meses.

Él se acerca con cautela, va de un escenario del crimen al otro, recorriéndolo en unos tres minutos a pie. Y se fija quién está más tranquilo de todos los familiares de las víctimas. A veces, en unos cuarenta y cinco minutos, las madres que han entrado en crisis comienzan a asumir lo que ha pasado. Ésta es la clave para su trabajo: saber cuál es el momento. Se acercará. Y hará lo que está haciendo ahora:

«Disculpa que me atreva a hablar contigo ahorita, pero es necesario que te explique lo que tienes que hacer: el día de mañana te tienes que presentar a Averiguaciones Previas, con dos familiares y la papelería. Es necesario que te presentes con una funeraria. Si en algo te puedo servir, aquí tienes mi tarjeta».

Los buitres son personas que van en busca de cadáveres: para vender a sus familiares un servicio funerario. Lo antes posible. Y este hombre es un buitre. Trabajan en silencio, de incógnito hasta que sienten un tantito de confianza. Pueden ser muy mal recibidos.

En ocasiones un mismo buitre puede trabajar para varias funerarias. Como si fuera un *freelance* de los entierros. Se llevará una comisión. El servicio más solicitado ahora es el más barato. Cuesta unos 4.500 pesos (unos 372 dólares), de los que le tocarán al buitre unos 500 (41 dólares) por servicio contratado. Otros reciben el salario fijo de la funeraria, unos 2.500 pesos (unos 200 dólares) a la semana.

Los mejores son los que llegan antes a la tragedia: la estudian, se acercan con discreción y consiguen que los familiares los atiendan. Cada vez hay más buitres «reciclados» de otras profesiones que se van extinguiendo al mismo tiempo que sus negocios. Entre los nuevos muerteros —porque también les llaman así— hay desempleados de las maquiladoras, de discotecas, cantinas y restaurantes que huyeron con la violencia. Pero ya pocos se atreven a lanzarse hasta las escenas del crimen. Trabajan de otras maneras: vendiendo servicios a los vivos que saben que la vida es un instante genial que puede ser arrebatado.

Este buitre es Ángel, el nombre que eligió por seguridad. Porque a ellos también los matan.

Su promesa

Un domingo de hace casi un año. Cervezas en la tarde. Entre los ataúdes. Al finalizar la jornada. El Buitre y su amigo, con sus esposas en la funeraria donde trabajaban.

«Si algo llega a pasarme a mí, mándame en este ataúd, el más corriente, y ahí le encargo yo que me vaya y mi familia a Veracruz», dijo El Buitre.

Y él le contestó: «No, licenciado. Si a mí me toca irme antes quiero éste (un ataúd de madera fina y con la Virgen de Guadalupe grabada) y también le encargo la familia».

Dos semanas después el amigo estrenó su ataúd: como otro compañero de la misma compañía de servicios fúnebres pero que había sido asesinado un día antes. Eran las 3.30 de la tarde, lo mataron e incendiaron también la funeraria: con los cadáveres dentro. Sobrevivió, entre las cenizas, un letrero en una de las paredes que dice: «un digno adiós a quien amor merece».

La compañía fúnebre era de un padre de familia que había huido dos años antes a Estados Unidos, por la violencia. Y tenía tres sucursales. Dos fueron quemadas al segundo de acribillar a los trabajadores, y la tercera la abandonaron los empleados: al día siguiente del segundo asesinato.

El Buitre pensó en huir. Como lo hicieron algunos de sus veinte compañeros. Y miles de juarenses: en un paisaje de edificios incendiados por no pagar una cuota de extorsión y casas abandonadas.

Imaginó cómo sería regresar a su natal Veracruz, de la que emigró hace una década en busca de trabajo. No tenía dinero para irse pero podía tomar unos pesos que le habían quedado para hacer unos pagos pendientes de la funeraria. En ese instante, su esposa le recordó aquellas cervezas.

«Decidí quedarme y empezar a fregar la existencia a ella (dice riéndose, mirando a la viuda de su amigo), y ahorita sí, ha habido momentos en que yo me desespero y quisiera irme, pero me he aguantado y creo que no va a suceder, porque entre más tiempo pasa, más me encariño aquí con Juaritos». Y mucho. Hace seis años El Buitre partió por casi un año, con toda su familia, al histórico Puerto de Veracruz: una ciudad hermosísima, en la que todavía se puede salir a las calles sin peligro a que te maten. Lo hizo por motivos personales. Cuando terminó el ciclo escolar preguntó a sus hijos si querían volver a Ciudad Juárez o se quedaban. La respuesta fue: «Vamos para Juárez». Y él escuchó el deseo de su familia un tanto aliviado: «Te voy a decir que en Veracruz ya no me aclimaté. Dicen que si tomas agua de Juárez, acá te quedas».

La viuda del compadre

Nunca había visto un muerto: hasta que le tocó ver a su esposo. Lo había acompañado antes a su trabajo, en la funeraria, pero lo máximo que había querido divisar eran los ataúdes. Lo suyo era la venta de perfumes en un mercado de segundas*. Le gustaba transformar el universo

* Rastro.

polvoriento de su puesto con olores que soñaban a Europa. Cuando fue asesinado se enfrentó al mundo de su marido. En su propio cadáver: la cara deformada, la sonrisa oculta, los agujeros de las balas.

Lo peor vino después. La soledad de la casa, el silencio de su hijo. Quiso caer en una depresión. La familia del Buitre no la abandonó. Tanto así que al mes se mudaron a una casita contigua. Y contaban con ella para todo «que si vamos a por un *muertito* en la calle, al Semefo (Servicio Médico Forense), a visitar una familia de un asesinado». No querían dejarla sola y la invitaban a compartir sus actividades, que ya no eran divertidas: en los últimos tres años —desde que comenzó la llamada guerra contra el narcotráfico del presidente de México Felipe Calderón— los domingos habían pasado de ser motivo de carne asada en el parque, a convertirse en jornadas agotadoras. Había demasiada chamba, asesinatos. En una ciudad donde los únicos negocios que nacen son los de la muerte: pequeñas funerarias, arreglos florales, canciones para los difuntos.

Ahora es una viuda la que acompaña al compadre de su esposo asesinado a buscar cadáveres: como si el ser testigo directo de la muerte fuera un antídoto ante los porqués de la pérdida. «A veces, lo que una ve es más horrible que lo que tú pasaste. Lo más duro es cuando a una madre le matan a su hijo».

Va con la esposa del Buitre. A unos pasitos más adelante que ella. Como si fueran guardaespaldas improvisados que intentan esquivar la muerte: a la vez que la persiguen.

«Yo ando con él por lo mismo, por la situación que existe ahora, para no dejarlo solo». Ni en los cadáveres.

«Y olvidar». Apunta la viuda.

Buscando 'muertitos'

Cada vez veo más al Buitre. Hay días en que me lo encuentro seis veces, otros quince o veinte, incluso hasta veintisiete. Las muertes golpean con más fuerza a la ciudad. Los *muertitos* son cada vez más jóvenes, adolescentes, niños. Y la brutalidad de los asesinatos aumenta: masacres, cuerpos torturados y calcinados e incluso han comenzado los coches bomba, las granadas. Y las persecuciones de los policías federales por la ciudad, mientras la gente corre del pánico y sufre crisis nerviosas. A las desapariciones y asesinatos del ejército se han sumado los de la policía federal, que también son acusados de extorsionar a la población y secuestrar, según la Comisión Estatal de Derechos Humanos. Lo que continúa igual es que los asesinados no portan, la mayoría de las veces, armas.

Lo que hay son más fuerzas de seguridad, son diez mil agentes: federales y soldados enviados por el presidente de México Felipe Calderón.

Los reporteros y los buitres llegamos (muchas veces) antes que ellos al lugar de los hechos. Y uno comienza a cuestionarse muchos porqués.

Nuestro trabajo cada vez es más difícil. La mayoría de las agresiones directas que recibimos son de las fuerzas de seguridad. Para no informar. También hay presiones de los cárteles de la droga que tratan de imponer su agenda informativa (incluso con periodistas corruptos) y la posibilidad de morir en una balacera, un granadazo o una bomba en la calle, como cualquier ciudadano.

El peligro ahora se ha democratizado: ya no es sólo para las jóvenes, bellas (y eso sí, pobres) que siguen desapareciendo desde hace dieciocho años y con comisiones ineficaces que surgen para calmar la presión internacional. Encontrarlas, prevenir y esclarecer los hechos es todavía un imposible: posible.

El riesgo está en estar vivo: más de 7.500 personas (asesinadas) en cuatro años fueron testigos. La versión oficial es que el Cártel de Sinaloa está disputando la codiciada plaza del paso de las drogas —que llegan desde Colombia para que en Estados Unidos las consuman (en paz)—. Y que el presidente Calderón comenzó su guerra para proteger a la ciudadanía de la violencia generada por el crimen organizado, además de para exterminar uno de los mayores negocios del mundo, que ha convertido a políticos y empresarios en millonarios. Las autoridades dicen que la mayoría de los muertos están relacionados con el narcotráfico. Pero yo veo otro mundo. El Buitre también. El mundo de los que se quedan.

Una segunda vida: la estilista, madre de huérfanos

Lo primero que hizo fue comprar un aparato de aire acondicionado: poder respirar. Dormir. En el verano.

Llevaba tres meses buscando trabajo, el primero en su vida: en la que en unos minutos fueron asesinados su esposo, su cuñado y su suegro. Y todo cambió.

Para pasar la prueba como secretaria, sin conocer ni un tantito de mecanografía, tuvo una idea: se dejó las uñas muy largas y así «no es que no sepa, sino que no puedo...», pensó.

Sólo sabía que debía conseguir chamba. No tenía dinero para el mandado*, para pagar la electricidad. Ya le cortaron el cable, el Internet.

Hasta ahora su vida había sido atender a su familia, ir al gimnasio o de compras. Estaba dispuesta a todo para no sentir el estómago de sus pequeños vacío: ir por las

* La compra.

mañanas a El Paso, Tejas, a limpiar casas, cuidar niños, pero «va uno y pide trabajo, y lamentablemente en mi caso hasta ser bonita no me ayudó y se van por otro lado».

Magda tiene 28 años, tres niños hermosos y camina con la elegancia de las modelos de las pasarelas de Nueva York. De hecho, ya ha comenzado, más o menos, en ese mundo: desde que se quedó viuda la han llamado para hacer comerciales para televisión. Y aunque no le pagan mucho, es un dinero más que añade a su sueldo como secretaria en el gobierno, que le da: 1.500 pesos a la decena (unos 124 dólares).

Desde su escritorio, donde sirve a la autoridad, ha comenzado a descubrir la corrupción en pequeños detalles... «y de ahí empieza todo lo que estamos sufriendo».

Lo vio en el Servicio Médico Forense (Semefo) cuando fue a recoger el cadáver de su esposo y lo encontró sin sus pertenencias. «Iba a arreglar el carro y traía dinero. Los bolsearon*. Los ministeriales no me querían dar la visa. No es posible que no respeten lo que sucede».

También cuando se dio cuenta que el gobierno podría haberla ayudado para los gastos funerarios «pero lo tienen tan restringido para dárselo a quienes ellos quieran».

De las autoridades recibió terapia. «Son tan inmunes los psicólogos que no más te escuchan y te dicen, se le acabó el tiempo. Pero ¿no puedo traer a los niños? Y te dicen: no, sólo es para ti, y siguen con otro».

Los fines de semana toma clases: para llegar a obtener su certificado de la preparatoria y un día ir a la universidad. Su rostro muestra una sonrisota cuando asegura que va a estudiar Administración de Empresas, aunque todavía ni sabe cómo. Por lo pronto gana unos pesos adicionales mientras transforma las uñas y las pestañas en un juego fantástico de elegancia. Lo hace mientras recorre la ciudad

* Robaron.

con sus pequeños. Por necesidad: «No hay becas para las mamás viudas de esta guerra, para los niños», afirma, intentando justificar por qué toma el riesgo de salir a la calle durante tantas horas en busca de clientas.

Sus hijos han madurado mucho. «Al principio», dice Magda, «fue difícil escucharles decir: "mamá, quiero esto". Y tenerles que explicar que ahora no podía comprárselo». Les tuvo que detallar cuánto ganaba, los gastos que tenían.

La mayor, de 9 años, ha tomado mucha responsabilidad aunque es una niña. Es muy reservada, se llevaba muy bien con su papá y, a veces, toma el papel de adulto. «"¿Mamá, no tienes dinero? Yo te voy a ayudar", me dice. O "mamá, yo te ayudo a cocinar...". Es mi soporte».

El niño, de 7 años, se ha vuelto muy ahorrativo. Ella le pregunta: «Mi hijo, ¿quieres que te compre estos zapatos? No, los que estén más baratos», le contesta.

En la casa siempre tuvieron rutinas para colaborar, ahora esta viuda no batalla ni para levantarlos e ir a la escuela. «Bajaron de calificaciones cuando sucedió, ahora no. Me han sacado cuadros de honor y me dicen que van a echarle ganas».

Ella sabe que tiene suerte. Tiene una casa pagada y un carro viejo. Otras viudas pierden todo cuando sus esposos son asesinados. Sus hijos la tienen. Y ella sabe qué es ser amada, aunque esta certeza se mantiene en el recuerdo.

A su marido lo conoció en la iglesia hace dieciséis años. Él tenía 23. Y a los seis meses se casaron. Fue su primer novio. Él trabajaba en el negocio familiar de sus padres, reciclando materiales. Y nunca le faltó nada.

Tres meses antes de que éste fuera asesinado, secuestraron a su cuñado —que iba acompañado de su hija, a la que dejaron escapar—. Días después entregaron el rescate en un centro comercial (a plena luz del día) y recuperó su libertad.

En la agonía de la espera, su esposo sufrió una parálisis en la parte izquierda del rostro. Cuando a su hermano lo dejaron libre ella le rogó que no regresara al negocio. Pero continuó, siguió con un miedo en el cuerpo que ahora lo había paralizado.

Un día un muchacho de unos 15 años llegó con un papel. Les dijo que venía de La Línea, el brazo armado del Cártel de Juárez, y que les exigía a partir de aquel momento una cuota de extorsión: una cantidad de dinero que les obligan a pagar cada semana o les destrozan el negocio, les matan. Al suegro de Magda no le gustó nada que un chamaco* le pusiera sus reglas y se negó e hizo lo que nunca se debe hacer, movido por el coraje y la indefensión: seguirle acompañado de sus dos únicos hijos sin saber que el adolescente traía sicarios armados.

Antes de encaramarse al carro, el suegro de Magda tranquilizó a su esposa, que estaba en el establecimiento. Le dijo que le contaría por radio constantemente todos los detalles. Y así lo hizo: así supo que estaban cerca del chavo, que casi lo tenían, por dónde iban.

De pronto dejó de escuchar su voz. Y surgieron con fuerza las ráfagas de balas. Y pensó que éstas le atravesaban el alma. Todo. Su vida.

Salió en su busca y a unas siete cuadras del negocio se encontró a su esposo y a uno de sus dos hijos muertos (el esposo de Magda) y al otro herido de gravedad. Los acribillaron. Los vio.

La suegra le dio la noticia a Magda. Pero ella no tuvo tiempo para llorar por su muerto. Sólo se aferraba a la vida, y rezaba para que su cuñado se salvara. En el fondo pensaba... él tiene cinco hijos, dos de ellos recién nacidos y su esposa no tiene la fe de ella como para resignarse a la tragedia.

---

* Niño.

Él —que les decía en el hospital custodiado con policías que les cuidaría— también falleció. Se quedaron las tres mujeres solas. Y Magda más. Perdió, en un sentido, a la madre de su esposo: que le reclama que todo lo que tiene le pertenece.

Hay días en que sabe de un nuevo cadáver y de otro sin tener que ver la televisión ni leer los diarios: en donde, casi siempre, los asesinatos se suceden como una lista de muertos sin nombre, sin historia. Intenta así protegerse psicológicamente de tanto terror —que renace con el recuerdo— y huir de las noticias de los medios. Pero no puede escapar: a los que matan son a sus vecinos, sus compañeros de trabajo o aquellos rostros familiares con los que convivió en estos años: el señor que lavaba carros, que vendía tacos en la calle o que trabaja en el centro comercial.

Y piensa en sus familias y en una frase a la que desde ahora tendrán que hacer frente. Al chisme que hiere y que en el fondo tiene raíz en las autoridades federales para justificar esta guerra: «Es que lo mataron porque andaba mal». Ahora puede argumentar lo contrario: «Nosotros también hacíamos esos comentarios y cuando los sufres en carne propia dices: no es porque andaba mal todo lo que está sucediendo aquí».

Tragedia en cada esquina

Con El Buitre empiezo a descubrir la Ciudad Juárez que se resiste a morir. La que muere cada día, varias veces, pero resucita con los que se quedan, forjados en este desierto traicionero: de inviernos heladores y veranos que desearías huir.

Vamos por la colonia Manuel Valdez, una de las tantas zonas pobres de la ciudad: las casitas en hilera. Observamos las rejas que protegen algunas ventanas. Las calles están pavimentadas, algo no muy común en una ciudad como ésta donde el 60 por ciento son de arena, como el desierto.

—Aquí, Judith, han pasado muchas desgracias, en esta colonia, todas relacionadas con el narcomenudeo: entra un comando armado y asesinan a dos hermanas en la casa, delante de niños y la mamá de ellas. Al mes matan al tío en la misma zona.

Manejamos unos minutos más hasta llegar a un retén de los soldados: hay que reducir la velocidad, mejor incluso detener el vehículo, estar muy atentos porque pueden comenzar a dispararte si de pronto piensan que eres sospechoso.

—Al señor de esta esquina le matan al hijo por la cuota. Se han cerrado negocios así como no tienes idea... Me da mucha tristeza. Te voy a decir algo: que Juárez me ha dado mucho, le tengo un cariño enorme pero también me ha pegado. Me ha pegado* en dos personas, por decirlo así, mis compañeros de trabajo que han fallecido... y eso que hay temporadas en las que no hay chamba, en que si comiste carne en un mes, en un mes vas a comer puros frijoles... pues como quiera se pasa. Pero te digo que de tres años para acá, esto ha cambiado.

Varias personas están fuera de una casa. Mujeres y muchos niños. También algunos adolescentes. El llanto de una mujer se escucha por toda la calle. Es un lloro continuo capaz de desgarrar las entrañas de cualquier ser humano: aunque no sepas su nombre ni nunca la hayas conocido. Ni a ella ni a su hijo, y al que está velando en el patio de la casa. Y El Buitre va a cerciorarse en qué estado se encuentra el cadáver. Muy pocos en este oficio hacen esto. Pero siente un apego especial hacia sus muertos... y con sus vivos.

Entra a la casa. Saluda y observa quién está más tranquilo de los allí presentes. Va hacia el cuñado, le recuer-

---

* Afectado.

da que tiene que conseguir una misa a más tardar para la 1.00 de la tarde y así llegar a tiempo al cementerio. La familia es la que debe de hablar con el párroco de la iglesia porque no hacen tratos con ellos. Les recomienda que sepulten al joven al día siguiente y que no esperen una jornada más, por la salud psicológica de la madre.

El Buitre se acerca al féretro y se asegura que no haya veladoras a los lados, porque el efecto del calor derretirá aún más a un cadáver que espera ser sepultado bajo los más de 40 grados centígrados que azotan hoy a Ciudad Juárez. Su dictamen es que el cuerpo está en buenas condiciones aunque fue herido en el rostro. En ese recinto el muertero es el único que piensa que todo está en orden.

El Buitre se despide del féretro: lo que queda de un joven que se dedicaba a vender raspados: hielos de sabores con los colores de la vida.

«Ahorita lo que muchas familias (como ésta) enfrentan es costear un servicio funerario. En éste nos damos cuenta al recibir el cuerpo que es un toro...».

El servicio costó 2.000 pesos (unos 165 dólares) más. Por obeso.

«Murió ahí donde estabas parada».

Las prosidectoras

Servicio Médico Forense de Ciudad Juárez: los camilleros siguen entrando con más cadáveres. Los dejan uno detrás de otro: en una sala especial acondicionada a una temperatura de 12 grados centígrados. No cabe ni una bala más.

Los que no tienen lugar pasan a la salita para tomar café. Huele a manzana: podrida.

El maratón comienza. Dos chicas delgadas cargan los cuerpos hasta la mesa donde los médicos iniciarán la necropsia. Son prosidectores, o mejor dicho, prosidectoras.

Con ellas se inventó el género femenino de esta palabra, son las primeras mujeres en estrenarse en este oficio.

Hay que cortar rápido antes de que lleguen más cuerpos. Sacar el corazón, el hígado, cada uno de los órganos. Es el proceso que tienen que hacer para realizar un examen completo. Las jóvenes lo hacen siguiendo las indicaciones de los médicos legistas, que son doctores generales con una capacitación previa de mes y medio. Éstos observan y apuntan por dónde entraron y salieron las balas. Ellas van aprendiendo el oficio sobre la marcha, embarrando sus brazos entre la sangre. Las prosidectoras abren los cadáveres con el mismo bisturí, en unos cuarenta minutos, en lugar de las dos horas y media establecidas para estos procedimientos. Y lo que ven son cuerpos pulpificados, hechos puré, sin consistencia, con piernas que parecen tentáculos. Esto es lo que ocurre cuando recibes más de cincuenta disparos. Descubren que las ráfagas de balas fueron de abajo hacia arriba, desde los pies hasta la cabeza. Saben que estos *muertitos* son los que llevan más trabajo. Al igual que los que aparecen sin cabeza o con una estaca de hierro largo que les atraviesa el tórax.

La mayoría de los cadáveres son de hombres de entre los 18 y los 30 años. Pero cada vez hay más mujeres, adolescentes y niños.

Los cuerpos no dejan de llegar. «Parece maquila, como línea de producción», dice uno de los empleados del Semefo. «Ha llegado a pasar ir uno saltando los muertos».

Las jornadas de trabajo son interminables. Cada vez matan a varios en un mismo evento. El personal dobla turnos, sin recibir horas extra hasta que pasan varios años de antigüedad. La deserción de los doctores es constante. Salarios de 10.000 pesos al mes (unos 827 dólares) viendo cómo los agentes del ministerio público —que investigan los crímenes con los informes médicos que realizaron— son asesinados.

Estamos a mitad de la semana. Y en esta sala ya no hay más hojas de bisturí, ni batas de plástico blanco, ni sábanas azules para seguir con las necropsias. Deciden utilizar de nuevo todo el material, como tantas otras veces, menos las hojas de bisturí que parecen «cucharas» después de una autopsia. Éstas las toman del turno siguiente, como también los sobres para la evidencia, aunque saben que sus colegas se enojarán con ellos porque no tendrán cómo seguir trabajando y los cadáveres seguirán llegando.

Si no fuera por los muertos, la sangre y miraras sólo los rostros del personal que está diseccionando los cadáveres, pensarías que están en una reunión con amigos. Conversan sobre deportes, hacen bromas. De violencia nunca hablan. «Son imágenes medio impresionantes las que vemos y lo mejor es mantener la distancia».

Con su trabajo, «se supone» que se iniciará la investigación del ministerio público para averiguar quién los mató. En la práctica ésta sólo comienza «si el caso es caliente o si la prensa está sobre eso». Y si no matan a los agentes ministeriales.

Las prosidectoras toman de nuevo los cadáveres, ahora hacia la cámara frigorífica donde estarán hasta que los reclame una funeraria como las que ofrece El Buitre, que se encargará de extraer la sangre y llenarlos de fluido para embalsamarlos y soturarlos bien y así poder vestirlos y prepararlos para el velatorio: como si fueran piezas de un rompecabezas que nunca terminarán por encajar. Como la llamada guerra contra el narcotráfico en Ciudad Juárez.

Sueños negros

Ahora hay más trabajo para El Buitre. Al contrario que para el resto de Ciudad Juárez: con sus fábricas maquiladoras (de capital extranjero) que empiezan a trasladarse a otros países. Y sus 10.000 negocios cerrados, según la Cámara Nacional de Comercio. Donde ya no existe inversión empresarial.

Más muertos... cadáveres con los que él ha tenido que aprender a sobrevivir, a adaptarse a la nueva tragedia de la ciudad. Y también a la suya, consecuencia de la primera. A las pesadillas que surgen así:

«Cuando estoy apenas agarrando el sueño, brinco, sudo frío, me acuerdo de los rostros de las personas que traté ese día, y a mí me afecta más cuando veo a niños llorando el cuerpo del ser querido».

Por el día, El Buitre siempre está de mal humor: es lo que dice. Pero ante la gente demuestra mucha serenidad. No le queda otra*. En estos cuatro últimos años ha llevado personalmente hasta la tumba unos ocho cadáveres por semana. «Póngale que yo me acerco a casi a la mayoría de los muertos, mas no todos los atiendo yo».

Lo que encuentra ahora cuando va en busca de cadáveres es que casi un 50 por ciento de las personas que mueren asesinadas ya no necesitan su ayuda: han contratado un servicio funeral previo. Otras familias le dicen que se espere un tantito, que van a reunirse para ver lo que deciden. Algunas no dudan ni un segundo: «hágase cargo».

Muchas familias con la crisis económica actual, agudizada por la huida de las fuentes de trabajo, por la inseguridad, no tienen ni para un entierro y «dan por hecho que van a ir a la fosa común». Esto es lo más duro para El Buitre: el ver cómo el cuerpo será enterrado sin lágrimas, sin flores, en soledad. Sin más compañía que el olor a putrefacto, el que surge al descongelarse los cadáveres en el trayecto hacia el panteón. Es la fragancia del abandono de un cuerpo... de tantos... de toda una ciudad.

---

* No tiene otra opción.

Y ahí pensará, aún con más dolor, que Juárez es tragedia «porque lo que ha tardado tanto en ser una ciudad tan próspera en tres años se ha venido abajo. Y si sigue así la violencia, estará condenada a ser una ciudad fantasma, que en parte ya lo es».

Es su diagnóstico para la ciudad. Porque más que un vendedor de servicios funerarios, El Buitre es un psicólogo: estudia cómo se encuentran los que sobreviven y entiende su coraje para acercarse a la tragedia. En el fondo, dice, a nadie le gusta que esté en el dolor y que alguien llegue a venderle algo.

El negocio se ha disparado. La demanda de sus servicios es cada vez mayor. Pero El Buitre quisiera tener menos chamba. Y volver a aquel pasado donde la mayoría de sus clientes solicitaban entierros para sus parientes muertos por causas naturales. El trato era diferente. La respuesta de los familiares, también: «Ahora hemos sido hasta agredidos con gritos, con golpes, amenazas».

A algunos los han matado buscando a la muerte.

La autoridad

La mujer que me presenta El Buitre lleva *jeans.* Una camisa blanca que acentúa su figura. Y una sonrisa que no combina con su tristeza.

No quiere que desvele su identidad. Desconoce los peligros a los que se enfrenta. Y razona: «Aquí en Juárez todos sabemos todo, pero tenemos miedo a decir porque no tenemos protección de las autoridades, están corruptas con el narcotráfico».

Él era una autoridad: pasado de un presente vivo, que duele, que marca. El esposo de Clara tenía 29 años y un niño de 2 años cuando lo mataron. Era un agente del ministerio público. Ella, una licenciada en ingeniería de sistemas sin trabajo.

Clara vio cómo asesinaban a su pareja. Cómo estando tirado en el suelo, le remataron en la cabeza. Eran dos adolescentes, de unos 16 años. En una colonia obrera. A una cuadra estaba un retén de soldados, en tres minutos, acordonaron la zona del crimen y protegieron al cadáver. Todavía estaban los asesinos, que se subieron al carro y se fueron tranquilamente, según varios vecinos.

La ambulancia llegó: una hora más tarde. Ella pedía a los soldados que la ayudaran a llevar a su esposo al hospital, que al menos le dejaran estar junto a él para acompañarlo en su agonía. Les gritaba detrás del cordón amarillo de seguridad mientras abrazaba una imagen de San Judas Tadeo, que sacó de su casa en busca de un milagro.

Han pasado seis meses. Y varias veces al día, cuando a la lista de asesinados se suman nuevos nombres, siente «impotencia, tristeza por todas las familias enlutadas, me siento partícipe de su dolor».

Su hijo tiene unos hermosos ojos que ahora vomitan lágrimas. Pregunta por su padre, en la mañana, a la hora de comer, en la noche. Y al no verlo, se enfada. Ella le ha explicado que está con «diosito» pero «no acaba de entender que ya no regresará». Dice Clara que el niño cambió: se volvió inseguro, demuestra su enojo gritando, pataleando y haciendo berrinches que antes no hacía. Se volvió muy serio, no habla con ninguna persona extraña. No deja a su madre ni un segundo sola.

Esto es lo más duro. Aprender a vivir con el asesinato. Y a vivir sin él, su marido, su primer novio a los 15 años. «Me encuentro con un país en donde no hay empleo, no hay oportunidades, no hay apoyo del gobierno para todas las viudas y niños huérfanos que vivimos esta guerra inútil».

Clara perdió la casa que estaban comprando. Y regresó con su familia. «Cómo iba a mantener a mi hijo si no tuviera a mis papás, olvídate».

Lucha para salir adelante. Por su pequeño. Ahora vende ropa de segunda que logra conseguir en un mercado. Y piensa que «uno decide si quiere seguir sufriendo o quiere volver a sonreír».

Intenta olvidar el pasado, pero éste surge con el presente vivo de las balas. «Al presidente Felipe Calderón se le hizo muy fácil hacer esta guerra, pero él no está sufriendo esto en carne propia porque aquí a todo el mundo o le han matado a alguien, o le han secuestrado o le han extorsionado».

Se aleja para encontrarse con cuatro viudas que viven en una misma calle con las que se reúne para rezar. Les lleva unos frijoles que pudo comprar hoy. No piensa en el mañana porque en Ciudad Juárez el futuro es un minuto más de vida. Ellas lo saben.

El cirujano y el sicario

—Te estoy diciendo que si no te operas te vas a morir.

—¿Me voy a morir? Sabe qué doctor: nadie me había hablado así.

(«¿Eso es bueno o malo?» —pienso mientras miro a mi paciente).

—Es que yo te tengo que decir la verdad porque si no, no vas a saber decidir. Yo cumplo con mi trabajo, que es decirte cuáles son los caminos, y tú eliges.

—Bueno, voy a pensar y le mando llamar.

—Nomás* que el tema es importante. Si tardas tenemos menos oportunidad. (Los días pasaron y al contrario

* Sólo.

de lo esperado no tuve noticias de mi paciente. Fui cuando me llamó y ya estaban las cosas avanzadas).

—Entonces ¿sí me puede operar y sigo hablando, doctor?

(El paciente quería hablar porque él estaba controlando desde su cuarto (en la cárcel) cantidad de cosas; entraban y salían malandros* que llevaban mensajes. Coordinaba todo lo que es el tráfico de estupefacientes y armas).

—Por ahí le podemos hacer la lucha pero llevas más de perder que de ganar.

—Bueno pues, doctor, opéreme.

—Qué feo, qué gacho** se está poniendo Juárez. Se está poniendo bien difícil. (Le digo y me voltea a ver a los ojos y me dice alterado: «Doctor, no sabe cómo se va a poner. Se va a poner mucho peor»).

Cuando escuché estas palabras no supe exactamente qué quería decir, hasta que lo viví. A esto se refería aquel ¿Tú crees? Fue a comienzos de 2009. Aquel hombre con quien hablé de ese modo tenía unos 37 años, no quise saber más. De por sí me sentía algo inquieto, porque si cualquier cosa salía mal él sabía dónde trabajaba. Murió. Se le fue complicando la respiración. Temí por mí porque pudiese sufrir alguna represalia, que pensaran que me había comprado el otro bando.

Al entrar en la habitación del enfermo sentías algo raro. Era un tipo que tenía en su mente acumulado un hoyo negro. Sabía muchísimo de lo que estaba ocurriendo, conocía cantidad de maldad humana. Traté de hablar claro. Mi único interés era ser igual de profesional como si estuviera tratando a alguien de mi familia: él era hermano de alguien y su caso era una aventura en la que estaba en juego una vida y ante eso sentía cierta responsabilidad. Aquel

---

* Delincuentes.

** Fatal.

cuate* llegó a tener una vida como la que tuvo porque de alguna manera el ser humano no se preocupó de darle una oportunidad. Yo soy de pensamiento socrático y creo que si el hombre sabe lo que es el bien, va a elegir el bien, casi por instinto. Si no tienes nada, como en su caso, tienes que sobrevivir, ser un reptil, su vida por tanto era matar o vivir.

La conversación entre el líder de la pandilla y el cirujano tuvo lugar en un hospital de Ciudad Juárez.

Hoy, el doctor Arturo Valenzuela, la recuerda con unos ojos que hipnotizan vida. Puede hablar del horror, de lo que ve cada día, pero sus palabras surgen como un huracán: de esperanza.

«A lo mejor yo tengo ciertas ventajas para controlar el miedo. Yo platico con sicarios, secuestradores, con mucha gente que son mis pacientes que llegan al hospital. Juego al ajedrez con ellos, también con los policías. Los balean y van a parar conmigo. Si algo debes de ofrecerle a tu paciente en el momento que vas a visitarlo, es tocarle el buen humor: la risa es una medicina, se agregan endorfinas, se crea optimismo y se establece una relación médico paciente que provoca que este último se abra en muchas cosas. Sé que son sicarios porque los tienen con policías y amarrados en la cama. Si tú vas a cuneros**, ves a un montón de bebés, recién nacidos, todos iguales. ¿Qué se necesita para que un ser humano se transforme en uno como ése o en uno de los que admiro tanto en esta ciudad? Si todos hubieran tenido las mismas oportunidades que yo tuve y los padres que tuve, los criminales serían los menos, y si yo hubiera vivido como ellos sería un criminalizo. No lo dudo».

Hace tres años, cuando la violencia comenzó a dispararse, pensó en huir a Canadá. Allí nació hace 44 años, pues sus padres se encontraban en aquel país realizando

---

* Tipo.

** Neonatología.

la residencia para ser doctores. En Canadá pasó sus primeros cuarenta días de vida hasta que lo enviaron a México con los abuelos.

Pensó en abandonar Ciudad Juárez con su hija, de ahora 10 años. Es padre soltero. Por elección. Pero sacó la conclusión que donde tenía que estar era en su Juárez: seguiría despertando a su pequeña en la noche, encaramándola al vehículo para llevarla a uno de los hospitales donde intervendría a un baleado, y de reojo intentaría cuidarla con su mirada.

Cada día, cada semana, hay más asesinatos. Más heridos.

«Aquí hay algo que salvar, que se tiene que salvar. En Ciudad Juárez la conciencia de la humanidad peligra, es donde está el foco clínico de la humanidad. Aquí es donde debe estar el médico, donde me siento útil. No podemos enseñar el valor de la esperanza en un día soleado, tienes que enseñarles a tus hijos y a todos los niños, que cuando hay una adversidad debemos dar el ejemplo de la esperanza. Yo sí creo que esto puede transformarse, puede cambiar y va a ser de gran enseñanza, y si alguna vez pensé en irme me di cuenta que iba a perder ahorita una gran oportunidad de transformación: cambiar y construir.

»Entendí y aprendí que toda crisis se resuelve con un encuentro. Yo tengo un concepto divino muy abstracto, pero una de las bendiciones que he tenido es que a raíz de esta crisis conocí personas extraordinarias, y estoy seguro de que si hay personas como éstas, hay esperanza para Ciudad Juárez. El ser humano puede ser cruel, pero puede hacer cosas nobles y extraordinarias como las personas que yo conozco y ésa es la magia que va a cambiar las cosas. Falta verter lo que estas gentes tienen, difundirlo a la sociedad. En cuanto se genere ese puente, yo creo que esto se transforma».

Opera a baleados. Es director de un programa médico especializado para atender a heridos. Y el coordinador de la mesa de seguridad del programa «Todos somos Juárez» creado por el presidente Calderón tras su visita en febrero de 2009 después de la masacre de quince en la colonia Villas de Salvárcar. En aquella ocasión el doctor Valenzuela, al comenzar su discurso, saludó al presidente Calderón diciéndole que no había llegado dos horas tarde, sino dos años.

Siempre está pegado a su teléfono y Blackberry, ahí recibe también los mensajes de auxilio de familiares de personas secuestradas, muchos de ellos médicos.

Participa en las negociaciones e imparte clases para enfrentarse a un secuestro, y lo hace gratis. Dice que se formó en este tema en Internet: buscando libros y cada vez que le hacían una pregunta, buscaba la respuesta.

«Yo creo que el mundo debe de voltear aquí porque se ha concentrado el abandono al prójimo, que se pierde y hace cantidad de barbaridades. Y si el mundo no pone atención y aprende de Ciudad Juárez esta situación se va a replicar. Estamos en una bellísima oportunidad para poder hacer la transformación del ser humano.

»¿Sabes que es un sueño lo que estás diciendo?, me dicen muchas veces. Y yo le digo: ¿ves la silla donde estás, el carro, los aviones? fueron un sueño. Si este sueño es tuyo y lo haces propio, al ratito aterriza. Te va a tomar tiempo. A lo mejor ni lo voy a ver, porque estoy expuesto y cualquier día no les gusta lo que dije... y van a darme un escarmiento».

La protectora: la hija del cirujano

Al despertar tiene sangre por su naricita de niña. De 10 años. Lo que sueña Lucía Valenzuela es esto:

«Estábamos con mi mejor amiga pasando de El Paso acá y en el Puente Libre los sicarios comenzaron a balacear. Y yo me agaché en el carro. Me sentí bien feo. Nunca me pasa nada en los sueños. También sueño que comienzan a agujerear el carro, y nomás que me traspasan las balas.

»El otro día soñé que había un carro de federales y después que empezaron a rafaguear y uno se colgó ahí arriba. ¡¡Me siento bien asustada!! Date cuenta que yo lo veo tan real, que siento que es real».

Su voz derrocha alegría aun contando sus pesadillas. Sus ojos son azules grisáceos. Su cabello rubio y rizado destaca en su piel morena. Es una niña hermosa, con una gracia innata y una inteligencia envidiable. De ella surgen palabras que golpean. Como al preguntarle qué es lo que menos le gusta de Ciudad Juárez:

—La inseguridad y que no puedo salir sola. Oh, como que casi siempre me levanto escuchando balazos... Una vez que me estaba bañando me asusté un chorro* porque fueron los primeros balazos que escuché. Y después fue en la escuela. En la tele dijeron: «los del Montesori se agacharon». Pero no nos agachamos porque no sabíamos qué hacer, no más nos quedamos así. ¡Ah!, como tres niños lloraron.

Cuando le pregunto por sus compañeros, por el lugar en el que se encuentran ahora, me contesta.

—Amigos que han salido en los últimos meses tengo como tres. Primero empezaron a faltar y dije: ¡por qué faltan! Y luego se llevaron las cosas. Y dije: se fueron. Están en El Paso.

Se queda pensativa y continúo: ¿qué te gustaría ser de mayor?

—Criminólogo... no lo sé, es que ya me acostumbré a Juárez. Y basquetbolista para ganar mucho dinero. Voy a vivir en Canadá con una amiga y vamos a poner una

* Mucho.

clínica de perros y un centro de adopción. Y luego no sé cuántos hijos voy a tener porque me chocan* cuando son bebés y me darían lata.

—Y... ¿cómo es tu papá? —le pregunto.

—Muy ocupado, se la pasa en el teléfono. De repente se me antoja hablarle y si no contesta pienso ¿qué tal si le pasó algo? Y cuando escucho su voz... ¡qué bueno! Siento... ¡¡¡A-le-lu-ya!!! ¡Aleluya!

A veces voy con él y me aburro, bueno, excepto en las cirugías, que están bien padres. Me gusta verlas. No me da asco. ¿Por qué me daría asco? No sé por qué lo que está dentro no me da asco, pero una cortadita en mi dedo sí. Y le ayudo en las cirugías. La otra vez ayudé a los anestesiólogos: «pícale al botón y le picaba».

Yo soy la primera niña mexicana en participar en el curso de ATLS (Apoyo Vital Avanzado en Trauma). Y en la escuela empecé a dar esas pláticas en toda la primaria, de hecho me faltó un salón, menos *kinder*.

Cuando estaba muy chiquita iba a los cursos de rehabilitación cardiopulmonar básica, pero me gustó mucho y me lo aprendía, y entonces mi papá me los enseñó.

Arturo es chistoso y me hace cosquillas. Es bueno en el básquet, en los deportes y no tiene miedo a nada.

Más que una chamba

«Me da mucha satisfacción mi trabajo. Cuando la persona a la que le serviste te da las gracias. En una ocasión atendimos un servicio funerario y quien me contrató me entregó una hoja de papel, y nos daba las gracias. Era una maestra que había perdido a su sobrino en un hecho violento. Y es lo que nos queda, porque económicamente es

---

* Irritan.

un trabajo como cualquier otro. Vivimos del dolor y por lo mismo debemos de ser muy cautelosos para trabajar con la gente ¿Requisitos? Lo primero, educación. No importa que no tenga estudios pero que sea educado. Un poquito de facilidad de palabra, que sea sensible, aquí hay (buitres) que llegan en unas fachas que no entiendo cómo muchas veces les dan la confianza. Yo siempre llevo ropa humilde, voy limpio y a dar una imagen presentable.

«Empecé por morbo. Me gustaba ir a ver los muertos cuando se les practicaba la autopsia. Esto me lo indujo mi compadre, el dueño de una funeraria en Veracruz. Él tenía la concesión de servicio forense y aparte había formado un equipo de rescate, y ahí es cuando empecé a inmiscuirme, a tener contacto con la muerte. Como a los 22 años.

«Tengo la licenciatura en derecho. Si en el momento que me estoy bañando —que siempre sucede— me hablan de un *muertito*, voy y ya no regreso a la casa, y así cuando llego a los eventos, me trato de arreglar... ¿Se me ve demacrado, ahorita? Comencé a las 6.00 de la mañana. Lo que no me gusta de muchos compañeros es que no vienen a asesorar, en lugar de esto vienen con la tarjeta y ahí los precios. Yo siento que está mal, porque ahí no se están dando cuenta si la gente está sufriendo. Aquí donde voy a pasar ahorita, a un muchacho lo mataron anteayer: estaba en compañía de su hermana y unos sobrinitos. Tenía 30 años.

«Uno va madurando entre tanta sangre, tanto dolor. La mayoría de los muertos que he visto en mi vida han sido en los últimos cuatro años. Desde el 2008. Yo veo la vida muy agresiva, muy rápida. He aprendido a no tenerle miedo a la muerte pero sí respeto, y yo a lo que le pienso mucho ahorita es a sufrir la pérdida de un hijo. Lo que no soportaría sería una mala noticia de mis hijos, o del hijo de la señora (viuda)». Como tantos padres.

Forjador de futuros... en niños

Lo dice por experiencia: «estamos criando a una generación de huérfanos». Y el pastor evangélico Eduardo García comienza a recordar aquel día:

Suena el teléfono en la casa. Contesta su esposa. Malas noticias. Salieron a la carrera de un extremo de la ciudad al otro, hasta llegar a la dirección donde estaría su hijo.

Una sábana con un cuerpo inerte. Sólo se mira un brazo. Una mancha de sangre. Policías alrededor.

Un pequeño cobijado en el cuerpo de su madre. Es su nieto. Se abrazan. Y ella les confirma lo que sospechan. Que ese brazo, que ven en el suelo, es el de su hijo.

Les cuenta que tuvo el instinto (y la suerte) de resguardarse en la camioneta en la que viajaban, cuando una ráfaga de balas se dirigió hacia su esposo, Abraham García, de 24 años.

Han pasado dos años y puede narrar los detalles de la tragedia con la serenidad de unos ojos que lloraron y que ahora miran al futuro.

García veía el sufrimiento ajeno desde un año antes que mataran a su hijo. La violencia se había disparado. Pensó en cómo atender esta agonía. Convenció a 200 pastores evangélicos a ofrecer apoyo específico en este tipo de duelos. Sentían que su clamor debía escucharse en marchas por la paz. Han logrado convocar a más de 10.000 personas. Lo que nadie llega a reunir.

«La gente necesita urgentemente creer en algo, sus creencias se acabaron: los trabajos, los espacios, la confianza; era el momento oportuno de entrar nosotros, de reactivar los sueños, de volver a creer que la ciudad va a cambiar».

A su iglesia llegan niños sin uno de sus padres, a veces sin los dos. Es la crónica de las otras víctimas. Las que quedan. Y que las autoridades obvian porque no están muertas: no hay ni una lista oficial para ellas. Piensa que a las autoridades «se les salió de control y no saben qué hacer. Traen en un estado de sitio a la ciudad, violando la constitución, y culpamos a un presidente que toma decisiones que son criticadas en todo momento».

No ha pensado huir: como un centenar de pastores. No puede dejar a su iglesia: con los que quedan. Permanece en una ciudad donde «la película que vivimos en blanco y negro en nuestra infancia ahora la estamos sufriendo en vivo y a todo color». Como la que vive El Buitre, todos lo días, sin respiro. Y tantos otros.

En busca de los derechos humanos

Los policías federales rodearon el edificio: una torre alta, de colores que surge entre restaurantes, discotecas y comercios abandonados e incendiados por no pagar la cuota de extorsión al crimen organizado.

—¿Qué pasó? —me preguntó Claudia Edith, creadora de una librería-café llamada Cafebrería Sol & Luna, un oasis en la violencia.

Decidimos acercarnos a la puerta. Y al hacerlo entró Gustavo de la Rosa, el visitador de la Comisión Estatal de Derechos Humanos, asignado ahora a la Operación Coordinada Chihuahua (la versión local de la llamada guerra contra el narco del presidente Calderón). Los federales eran para él. Lleva doce escoltas. Está amenazado de muerte. Denuncia las torturas, desapariciones, secuestros y asesinatos del ejército y la policía federal.

De la Rosa sabía que Claudia Edith se iba de Ciudad Juárez y quería despedirse. Esta mujer tomará un avión rumbo a la Ciudad de México. Dejará sus sueños.

En el fondo la entendía. Él también se fue por siete meses: un día siente que lo siguen. Que lo van a matar, cruza de emergencia uno de los tres puentes fronterizos que separan Ciudad Juárez de El Paso, con su visa láser que permite a los fronterizos mexicanos ir al lado estadounidense y permanecer ininterrumpidamente por un máximo de treinta días. Llega por migración estadounidense y le ocurre lo más surrealista: lo detienen por seis días por haber dicho que estaba en peligro y no querer pedir asilo.

Gustavo llega sonriente. Se le han quitado de encima los años que le cayeron en El Paso, sin poder pisar Juaritos. Allá estaba «muerto en vida», razona.

Está en su mundo.

Un té. Un café. Y no me resisto a preguntarle...

—¿Por qué regresaste a Juárez?

—Desde que me fui a El Paso yo tenía muy claro que no era mi deseo dejar mi trabajo. Lo que quería era descifrar cuál era la situación y corregir los grandes peligros eminentes que en aquel momento tenía. Cuando uno ha vivido de manera continua en Juaritos desde el 63 —pero imaginaria desde el 57—, entonces ya tengo 53 años y pertenezco psicológicamente a Ciudad Juárez, resulta que para alguien que ha crecido en ese ambiente tan irrepetible, a los 64 años no puede cambiar a vivir en otro lugar.

»Por otro lado, esas actitudes heredadas de mi padre no me permitirían vivir en paz en ningún lugar, sabiendo que yo soy defensor de derechos humanos en Ciudad Juárez y no estoy. Y para poder mantener a mi familia necesito trabajar. Yo no tengo por qué renunciar mientras haya trabajo y tenga una obligación.

—Te pueden matar... —continúo.

—Soy inseguro. Y requiero las afirmaciones de la otra gente —sonríe—. Todo mi trabajo, como siempre he sido el abogado de los trabajadores y de victimizados del Estado, mucha gente me dice muchas gracias de una manera tan especial, que realmente alimenta mi espíritu. En mi trabajo, la emoción en el rostro de la madre de un joven que lo detuvo la policía y que no lo ha encontrado ni en la PGR ni en el ejército y que de pronto logro que me lo entreguen, y le digo: «Aquí tiene a su hijo»... aquella mujer está convencida de que volvió a nacer. O también el rostro o la mamá de la esposa, cuando le dices: «No encontramos a su hijo, pero encontramos su cadáver». Es un dolor intenso, pero es una sensación de acercamiento espiritual anímico de aquella mujer que sabe que su esposo o su hijo está muerto, que sabe que a partir de este momento su vida corre riesgo. Y te voltean a ver y te dicen: «No nos vaya a dejar solos». Es alimento al espíritu que a mí me fortalece mucho, en esa inseguridad personal que tengo de si soy útil o no al estarme criticando permanentemente.

—¿Qué has aprendido en este tiempo en el «exilio»? —le pregunto.

—Cuando te matan se acaba aquello. Se acaban proyectos de vida, de crecimientos, se acaba el amor. Lo más grave que puede pasar es que te maten. Y es terrible que han matado a más de 7.000 personas a las que les han cortado todo. Y eso lo entiendes tú cuando sabes que en la siguiente esquina te pueden detener para matarte. Que hay una persona buscándote para matarte y tienes que ir a una cuadra más para que no te alcance. Es el momento en que entiendes. Si me alcanza, no más necesita un segundo para dispararme en la cabeza y todo se acabó. Y entonces entiendes el valor de la vida, y que es importante seguir viviendo.

»Pero luego viene la siguiente pregunta: vivir para qué. Y entonces te contestas: yo tengo que seguir viviendo para seguir haciendo lo que he hecho toda mi vida. Son preguntas y respuestas muy básicas pero al mismo tiempo muy complejas.

»Regresé pero ahora vivo en El Paso. En ocasiones no me aguanto, cruzo a Estados Unidos, dejo a mis escoltas y regreso a Juárez para ver a mis amigos. Y cuando te dicen —con la honestidad que caracteriza a los juaritos— «¿Sabes qué? te agradezco que vengas pero te agradezco más que no vegas». Y sabes que la persona te lo está diciendo con toda la sinceridad, con todo el cariño, pero también te dicen «me da mucho gusto verte pero más gusto no verte en mi casa».

Después de que te lo dicen dos veces ya no lo haces de nuevo. Y ahí entiendes en qué situación estamos.

—Ciudad Juárez ¿atrapa?

—Mi compromiso es con esta comunidad. Mi yo colectivo es la sociedad juarense. Las autoridades son de lo más incompetentes e ineptas hasta en las cosas que pensamos que pueden hacer bien. No tienen la capacidad que se les ocurra. Porque no están pensando en el problema social, están pensando en cómo ganan más votos o más negocios. No están pensando en el problema, y si no están pensando en el problema nunca se les van a ocurrir soluciones. Le dedican un 33 por ciento a su función, un 33 a ganar votos y un 33 a hacer negocios.

—¿Cómo la encontraste?

—Regresé el 6 de abril de 2010. Como a las 9.00 de la mañana. Crucé el Puente y me esperaban dos camionetas de federales: todos los días me los cambian, no saben la unidad que va a ir conmigo. Todos los atentados suceden cuando el agresor puede prever el ataque. Mientras menos información tenga es más difícil para el agresor, y todos los días un comandante escoge al azar.

»La encontré más triste, más destruida, más golpeada, más desanimada. Y más con esta pregunta: ¿habrá posibilidad de que cambie?

»Es muy difícil decirle a la gente que esto va a cambiar porque a estas alturas yo no lo sé. Todas las ofertas del gobierno de programas que te permiten cambiar un problema social cuando los desarrollan se vienen abajo.

Y cuando ves fracaso tras fracaso comienzas a convencerte de que es muy difícil que esto cambie.

»Y además ves una actitud en el gobierno federal y en los gobiernos de una especie de condena y penitencia de que para que esto cambie tenemos que pasar por todo lo que pasó Colombia.

»Y en este sentido, Joaquín Villalobos (ex guerrillero salvadoreño) —que es como el teórico de la guerra del presidente Calderón— se mantiene animándonos y nos dice que apenas llevamos 30.000 muertos* que en Colombia fueron 150.000 y entonces todavía nos faltan muchos muertos para que esto comience a cambiar.

Una vez que me reincorporo encuentro esa tendencia más triste, más triste, más triste. Los juaritos estamos perdiendo todos los atributos. Somos menos fiesteros, escandalosos, menos irreverentes, manejamos con más cuidado, menos mujeriegos. Somos menos libres: vamos perdiendo más libertad cuando nuestra característica siempre ha sido ser la ciudad más libre de México, y ahora es la más oprimida.

—¿Cuál es la solución para que Ciudad Juárez vuelva a ser, al menos, la de antes?

—La manera más fácil como podemos reconstruir esto es que legalicen la venta de cocaína y marihuana, que puedan venderse en los mercados, para que la gente de El Paso y Fort Bliss** pueda comprarla aquí. Los años de gloria de Juárez fueron la época de la prohibición (de alcohol) y la Segunda Guerra, en donde los estadounidenses venían a gastar su dinero a Juárez.

»Si fuera listo Calderón legalizaría la droga. Y en lugar de estar gastando dinero en una guerra, estaría recibiendo impuestos y otra vez volvería la dicha y la fiesta.

---

* Cifra de septiembre 2010.

** Base militar.

»Cuando no hay otra salida, la que queda y parece imposible, ésa va a ser.

»Lo otro que puede ocurrir es que se vuelva a lo de antes: a una guerra de baja intensidad y a perseguir el delito del narcotráfico dentro de los márgenes de la persecución policíaca, y la ley se aplica en la medida de lo posible y lo deseable.

»Pero quién sabe que cuando el estado vuelva a la política de la aplicación de la ley, los cárteles estén dispuestos a ceder lo que han ganado en esta guerra.

»Nos queda de horror todo 2011. Las elecciones presidenciales no son hasta 2012, y luego la toma de posesión. Esto se va a venir componiendo —si es que no hay un cambio de estrategia antes— a mediados de 2013, salvo que el presidente Calderón se aviente* el boleto de legalizar la distribución de compra y venta de drogas.

—Y mientras tanto ¿qué es lo que te da esperanza cada día?

—Estoy en la Mesa de Seguridad del programa «Todos somos Juárez»... Nos juntamos dos veces por semana un grupo como de veinticinco personas. Y lo bueno es que cada vez encontramos una nueva razón para seguir esperanzados. Una nueva razón para mantenernos.

»Pelear que todo el mundo tuviera placas** en los carros fueron cinco meses con todos los gabinetes. Y apenas de tener las placas, ya estamos en la reconstrucción de la policía municipal. Y eso nos va a dar como una esperanza de vida de cuatro meses.

»La otra esperanza de vida es que hay más de 7.000 crímenes impunes, más los que vendrán, y tenemos que buscar una propuesta de cómo se deben aclarar esas muertes. Primero investigar quiénes fueron los asesinos y luego

* Se atreva.

** Matrículas.

mandarlos detener. No hay ningún hilo negro en cómo aclarar los crímenes. Y no es cosa de magia.

»Yo pienso en que eso nos da esperanza: cambiar ese yo colectivo y rescatar la sonrisa: esa sonrisa arrogante, irreverente, entre la sonrisa y la burla. Es algo que bien vale la pena recuperar. O morirte, pero buscándola.

Suena la radio en el atardecer. Los policías federales le esperan para cruzar el puente hacia Estados Unidos. Donde volverá a circular sin peligro de ser asesinado. Herido en vida. Porque su alma se quedará en Juaritos. Con la que se reencontrará en la mañana.

—A sus órdenes comandante.

—Ya mero*, en un rato más salgo.

—Perfecto.

Sanar con café

Cuando su hija de 4 años comenzó a construir una pistola AK 47 de juguete, Claudia Edith Soto González —madre de tres pequeñas— se hizo una pregunta: ¿Qué puedo hacer para que ellas no vivan este dolor? La respuesta la encontró semanas después.

Está haciendo sus maletas: como antes más de 230.000 personas que han huido hacia el interior de México o Estados Unidos, según un estudio del Observatorio Ciudadano.

Se reencontrará con su esposo al que había dejado en la Ciudad de México, donde ella renunció a un trabajo bien remunerado. Lo hizo hace cuatro años para regresar a Ciudad Juárez cuando la violencia se multiplicó. Con todos los ahorros del matrimonio para crear la Cafebrería.

Ella no quiere irse... Se está yendo.

---

* Ahora.

«Lo que más me duele no es el dinero. Lo que más me duele es que me voy y he perdido amigos, sensibilidad. Yo no quiero que esto les suceda a mis hijas».

Fueron cuatro los amigos «del alma» asesinados. Más dos los secuestrados y una a la que le robaron el carro a punta de pistola y con sus niños dentro en un semáforo a plena luz del día.

Pero esa imagen de su niña le pudo más. En ese intento de recrear un arma sintió ver un futuro previsible que la aterraba. Más que los propios muertos.

Un día Claudia Edith acababa de recoger a sus hijas del colegio privado donde estudian. A unos metros, les tocó ver una balacera en directo por la Avenida Ejército Nacional, una de las principales de Juárez.

El fuego de las ráfagas. Llega la ambulancia. Los soldados. «Ya están los ejecutados», concluyó su pequeña de 4 años.

Y el escuchar a su niña pronunciar aquellas palabras fue un disparo en el corazón de madre. Claudia pidió a sus hijas que se agacharan para poder llegar a su hogar, pasando por delante de los cuerpos tirados en el suelo.

Una tarde estaba con una de sus tres hijas en una cadena de comida estadounidense. Escuchó los tiros que penetraron en sus oídos como si la estuvieran matando. Agarró a su niña que estaba enfrente de ella, brincó la mesa saltando como Batman, la protegió con todo su cuerpo y se tiraron al piso. Como todo el restaurante. Permanecieron veinte minutos en el suelo. La pequeña lloraba. Al llegar la policía salieron del local. Otro cadáver en el pavimento.

Otras veces éstos aparecen colgados. Claudia Edith se dirigía a la Cafebrería. Pero no llegó a tiempo para abrirla. Unos bomberos están batallando para bajar a un cuerpo que se estaba desangrando en el Puente al Revés. Las calles están cortadas. «No me podía ir. Cerré los ojos y me puse a rezar por la persona que habían matado, por mi familia, por mis hijas».

Estoy en la Cafebrería. Y suena la música. Primero Edith Piaff con la «Vida en rosa». Después, la voz de Pablo Milanés «Yo pisaré las calles nuevamente, del que fue Santiago ensangrentado... Yo vendré del desierto calcinante...». La tercera es «Sólo le pido a Dios», de Mercedes Sosa.

Es la música con la que todos los días comienza Claudia su jornada y se dice: «ánimo, que no pasa nada». Y barre, y trapea y sonríe.

Hoy, en su despedida, quiso compartir conmigo estos temas. Y al hacerlo su rostro se llenó de una luz que de pronto cambia y una sombra lo cubre. Es la incertidumbre de lo que deja. La impotencia ante la realidad que vive.

—¿Qué es la Cafebrería? —le pregunto.

—Es el hijo varón que nunca tuve. Literalmente. Es un hijo. Tiene cuatro balcones, son dos sus brazos y dos piernas. Es un niño. Es mi hijo. Decidimos tenerlo en Juárez porque amamos Juárez. El concepto es tener café —porque adoro prepararlo— y libros de la mejor literatura del mundo, y vender todos los autores regionales que quieran distribuirse aquí. Las puertas están abiertas para todos los creadores. Es la casa de cultura de los juarenses. Es el refugio, es de mucha responsabilidad para mí que me digan eso. Es el alimento.

Este lugar no siempre fue así. Cuando llegó Claudia Edith era un edificio abandonado propiedad del Fondo Nacional de las Artes (Fonart), es decir, del gobierno federal. Tenía una puerta hermosísima de madera pero dentro no había más de una tonelada y media de basura, veinte nidos de palomas y otras tantas muertas. Carecía de luz y drenaje.

Sola comenzó a rescatarlo. Lo limpió e invirtió 100.000 pesos en un edificio que no es suyo. Era el dinero que tenía para el adelanto para adquirir una casa y para tener un carro. Con él compró pintura, material.

En unos días el establecimiento cumplirá dos años. Fue el 13 de septiembre de 2008 cuando abrió sus puertas y Claudia Edith estará en este aniversario rumbo a la Ciudad de México. En este tiempo no ha logrado ni obtener un contrato de renta con Fonart (en cualquier momento pueden echarla) ni conseguir ayudas y subvenciones del programa gubernamental «Todos somos Juárez», creado (en la teoría) para reconstruir la ciudad, en un ambiente preelectoral municipal y estatal.

Claudia Edith Soto tiene 33 años y nació en la conservadora ciudad de Chihuahua, a unas cuatro horas al sur de Juaritos. A los 17 años se mudó a Ciudad Juárez para iniciar sus estudios universitarios de administración pública y ciencias políticas. Llegó con el mínimo dinero para pagar la renta de una habitación y no tenía un carro en una ciudad donde el transporte público es mínimo.

Sus clases eran de cuatro a 10.00 de la noche y al salir caminaba durante cinco kilómetros por calles de arena y sin alumbrado público porque ya no había ruteras. Al llegar, se cortó al rape su cabello negro y frondoso que le llegaba hasta la cintura. Nunca más se enfundó en pantalones de mezclilla: intentaba huir del estereotipo de mujeres que desaparecían. Corría el año 94. Le fascinó el sol y el cielo de desierto y sus gentes tan luchonas, tan trabajadoras.

En Juárez conoció a su esposo. Se casó a los 23 años y tiene tres niñas de, ahora, 7 y 4 años, y otra de 18 meses.

—¿Qué piensas de la llamada guerra contra el narcotráfico del presidente Calderón?

—Por cuestión ideológica crees como activa* de un partido político, el PAN (el Partido de Acción Nacional, del presidente de México), que tiene los mejores hombres y mujeres para gobernar.

* Miembro en activo de un partido político.

«Cuando se ve la falta de la voluntad política y echó a andar el dínamo de la guerra fallida contra el crimen organizado, lo que puedes pensar y resumir es que la ideología del partido no importó, el objetivo por el que luchamos en el partido no se realizó en lo más mínimo, el bien común y el respeto a los derechos humanos... y es lo que menos se ha hecho. Y me decepciona esta bruma y esta sensación de soledad de un ambiente gris en todo el país, de incertidumbre. Lo que más pido es que por favor se acabe. Si tuviera amor por el país, pues mejor deja de gobernar. Esto ya parece un genocidio».

La Cafebrería sigue abierta. Desde la distancia, Claudia Edith Soto intenta conservar su espíritu: a no irse del todo. Como tantos otros.

La bella de la policía estatal

Antes no lo hacía. Era más fría. Menos abierta.

Lo que hace ahora es despertarla con un beso en la frente; le comenta que es maravillosa. Que la quiere un chingo «porque quién sabe más tarde habrá tiempo para decírselo».

Son sus primeras palabras del día: las últimas en su hogar. Para su mamá porque sabe que puede ser asesinada como cualquier persona en Ciudad Juárez. Como sus compañeros en la Cipol, la policía estatal.

Ella, que tiene 20 años, prefiere mantener su identidad en secreto por seguridad. Su primer compañero en la corporación murió acribillado. «Y al día siguiente es lo más feo que se siente. En los momentos que tienes que ir a tu casa...».

Decenas de cipoles han sido asesinados. «¡Qué no se siente! Se sienten muchas cosas. Al momento es que no crees. Oír esos gritos, tantas cosas que se escuchan por el radio cuando está pasando un evento como ésos y a la vez tan impotente de no poder hacer nada, absolutamente nada...».

Trabajó de vendedora en un centro comercial. Y al perder su empleo en una fábrica maquiladora, el único lugar donde encontró chamba fue en la Cipol. Hace tres años. Como tantas mujeres, muchas madres solteras, que están formando parte de las fuerzas de seguridad locales. El 30 por ciento de la policía municipal tiene nombre de mujer. «Me gusta mucho y no sé cómo explicar. Siempre existe el miedo pero si uno vive con miedo...».

A sus padres no les agradó la idea. La violencia comenzaba a brotar aún con más fuerza. Pero ahora que están sin trabajo consideran que es un empleo estable dentro de la inseguridad. Le pagan 3.000 pesos a la quincena, unos 248 dólares (seis veces más que en una maquila), con los que más o menos pueden sobrevivir en una ciudad que vive al ritmo estadounidense.

Su jornada laboral es de doce horas al día, pero en la práctica su turno se extiende a veces hasta varias más. «Vas a mirar muchas unidades en la zona del Pronaf, Gómez Morín y el Boulevard Tomás Fernández, principalmente ésta es la prioridad de nuestro jefe o de quien sea. Andamos cuidando las casas de los ricos».

Un día, dice, irá a la universidad y estudiará psicología. Lo dice acariciando una cadena de plata de la que surge la imagen de la Santa Muerte. Como en algunos *muertitos*. Es de una onza de plata y la esconde bajo su uniforme.

Detrás de los criminales

El cadáver era de una niña de 3 años: con un balazo en la cabeza. Yacía junto al de su padre, un vendedor de gas llamado José. Salían de su casa. La mamá sobrevivió.

Eso es lo más duro en estos cuatro años y medio que trabaja como agente del ministerio público: ver centenares de niños asesinados.

«El presidente Calderón dice que la mayoría son culpables ¿culpables de qué? Matan a muchos inocentes, matan a gente para extorsionar: si no quieres cooperar (con la cuota de extorsión) te matan. Me han tocado dueños de tortillerías, de farmacias, no tiene que ser un pequeño narco».

La narcoguerra está al cien por cien. Lo dice el investigador en una tarde del mes de septiembre de 2010.

«El Cártel de Juárez no se deja y el otro (el de Sinaloa) quiere meterse a fuerza, y a causa de eso brinca menos droga, no se genera dinero y hace que secuestren y extorsionen. Se necesita cambiar la administración. Se ve muy inclinado el apoyo al Cártel de Sinaloa. La policía federal en vez de venir a apoyar hay mucha extorsión y abuso. Había abuso por parte de los militares pero con el afán de hacer su trabajo se metían a las casas y mataban a gente. Y éstos andan levantando niñas y secuestrando».

Nunca se acuerda de cuántos muertos vio en un día. Sólo de los eventos en los que estuvo, en donde puede encontrarse desde un muerto a más de una decena. Lleva un arma que cubre parte de su cuerpo. Al llegar a su hogar no ve la televisión. Escucha música norteña y muchas noches acaba bailando con su esposa: lo que ya no puede hacer fuera. «No me quiero enterar, con los que tengo en el día, con eso tengo. Te estresas».

Su trabajo consiste en encontrar una línea de investigación para que los crímenes no queden impunes. «Me gusta hacer algo bueno, aunque no pueda a veces. Ahorita realmente no se investiga, pero hace cuatro años sí podíamos un tantito más».

Y sonríe con impotencia.

Los compañeros de este investigador fueron asesinados para finales de 2010. No sé más de él. Su celular está apagado y me dicen que fue trasladado a otro destino.

Los secuestradores

La clínica del doctor se encuentra en una colonia obrera donde cada semana hay una media de treinta y cinco asesinatos. Desde su consultorio se divisan varias casas abandonadas y negocios que un día fueron panaderías, carnicerías y tiendas de abarrotes. También hay recuerdos que surgen con fuerza cada tarde, a la hora de cerrar. Como los de aquella de un mes de mayo de hace un año:

Dos armas en la sien. Otra en la nuca. Lo empujan a un viejo carro sin placas. Los secuestradores tienen acento chilango*. Su cara, contra el asiento. Cinta en los ojos. Manos amarradas.

—Doctor, tranquilo, pórtese bien. No le va a pasar nada. Mi patrón no necesita su vida, nomás dinero.

Lo bajan a dos cuadras de su consultorio. Suena la radio de uno de los secuestradores:

—Ya llevamos al doctor. Estuvo papitas**. ¿Cómo vas con el del lote de carros?, ¿y con el del depósito?

Llega la noche. Y el sonido de sus narices en la coca. Meten y sacan balas, cortan cartuchos. El doctor en el suelo. Y comienza a soñar: está con unos judíos, lo van a fusilar en el paredón y grita: ¡Espérense no soy judío soy mexicano! Despierta y al sentirse amarrado piensa en la muerte.

—Malas noticias, doctor. Las negociaciones no se están haciendo.

---

* De la Ciudad de México.

** Chupado, mamado, fácil.

—Yo no me creía un hombre secuestrable, no tengo dinero. Yo ayudo a mucha gente.

—No importa a quién levantemos. El más fregado tiene alguien a quien quiera y consigue el dinero.

Otra llamada. Él escucha la discusión de uno de ellos con su jefe.

—El *doc* se está portando bien. A mí no me vas a hacer sentir para la chingada*. Así que para hacer eso lo vas a hacer tú.

Un pase de coca. Y otro. Se acerca y corta cartucho enfrente de la cabeza del secuestrado. El doctor se prepara para morir.

Más susurros: coca en la nariz.

—Que se vaya a la fregada** aquel pendejo***. No vamos a hacer lo que él diga. ¿Qué, médico, no quiere un pedazo de pizza?

El doctor está a punto de explotar:

—No, gracias. Disculpen que me suelte a llorar pero es demasiada presión la que siento...

—Le vamos a perdonar la vida. Usted es buena persona pero su familia se portó mal y no pagó el rescate (800.000 pesos, unos 66.000 dólares).

Son las 5.00 de la tarde. Lo dejan en un parque. Atado y con 15 pesos para que pueda tomar una rutera si ve pasar una. Le piden que cuente hasta cincuenta pero él lo hace hasta cien. Se quita la venda de los ojos y logra levantarse del suelo. Está muy débil. Logra parar un taxi pero no quiere recogerlo. Sus manos siguen amarradas. Pasa otro y él le explica que acaban de liberarle de un secuestro. El taxista le comenta que ayer llevó a uno de

---

* Fatal.

** Mierda.

*** Idiota.

sus hijos al médico pero éste fue secuestrado. Y se da cuenta de que a quien está llevando es al doctor.

Llega a su casa. Salen unos quince familiares. Lo abrazan, lloran. El doctor les pide que paguen «la dejada* al taxista». Pero el señor rechaza los pesos con un «ya está bien».

Y cuando ya todo el mundo lo abrazó pudo exclamar: «¡Sigo amarrado! Córtenme esto»... Y todos rieron.

Tuvo suerte. Los secuestros existen en Juaritos desde que comenzó la llamada guerra contra el narco, en enero de 2008. No todas las víctimas regresan. Ni muertas. El doctor escuchó que a sus dos compañeros de cautiverio los mataron.

Las suyas fueron veintitrés horas de secuestro con un final insólito. Ha pasado un año y es ahora cuando comienza a volver a vivir. La primera semana de libertad se fue a El Paso, donde reside su hijo, un soldado estadounidense que ha sido enviado a la guerra de Irak en tres ocasiones.

Nada más regresar a su consultorio cuatro hombres armados llegaron para que atendiera a un baleado. Tuvo miedo de cobrarles: que les pareciera mucho y le mataran. A los días, otros le pideron una cuota de extorsión para seguir con su negocio.

Ideó un plan para huir de su consulta (por si llegan otros dispuestos a secuestrarlo de nuevo o a matarlo) con pasadizos y una cámara que vigila a las personas que entran. Pero nunca sabrá si regresan sus captores. No les vio el rostro. Y menos, denunció. Como la mayoría en Juaritos.

«Si me he de morir mañana que me maten de una vez. No vamos a vivir toda la vida como ratones. Muchos se fueron a Estados Unidos pero a mí no me interesa irme, si me he de morir aquí, pues me muero aquí».

* El viaje, la carrera.

Mientras charlamos en su consulta siento el impulso de preguntarle ¿qué necesita Juárez?

—Lo primero, que se larguen los federales y los soldados, porque en lugar de defendernos nos tienen de rodillas. Varios de mis compañeros han sido secuestrados por policías federales. Aquí secuestraron al panadero, a la señora de los aparatos eléctricos, a todos los que tienen un negocio. El único que faltaba era yo. Es un país de locos éste. Lo segundo, acabar con la pobreza y la desigualdad social. Han pasado cien años de la Revolución pero en el fondo nada ha cambiado.

El día que fui a visitar al doctor me enseñó una cascada de agua que cubría la imagen de la Virgen de Guadalupe con un Juan Diego, a tamaño natural, que un paciente le había pintado en una pared por curarlo. Para llegar a las medicinas que reparte gratuitamente por varios lugares de la ciudad donde ofrece sus servicios, pasamos por una sala de billar, ahora algo abandonada. El doctor me contó que antes jugaba en la noche mientras llegaban sus pacientes. En las paredes hay fotografías de chicas rubias en motocicletas. Ahora su oficina la cierra hacia las 4.00 de la tarde. Como si nadie en esta colonia se pudiera enfermar más tarde. Ni morirse a ritmo de balazos.

El doctor juarense me pidió mantener su identidad en el anonimato.

Ciudad cadáver

Una tarde de cinco asesinatos en la mañana: uno tras otro. Es el cumpleaños de una de mis fuentes. Y me llama El Buitre para ir juntos:

—Ahorita nos vemos. Estoy en un evento de un *muertito*.

—No te preocupes. La comida se canceló. Le mataron a su sobrino.

Las muertes golpean la jornada. No pienso que puede ocurrir algo peor. Hasta que llega:

3.30 de la tarde. Asesinan a un mecánico. En Infonavit Casas Grandes.

4.40 de la tarde. El rostro está envuelto con una cinta adhesiva de color canela. Es el cadáver de mujer en un terreno baldío. Colonia Constitución.

6.35 de la tarde. Escondidos en el guardarropa, dos niños y una mujer escuchan los tiros de un comando armado que irrumpe en su casa. Matan a tres mujeres y a un hombre. Ellos se salvan. Colonia División del Norte.

7.00 de la tarde. Cuatro más: dos hombres y dos mujeres acribillados. Los sicarios salen de la vivienda disparando al aire. En una esquina hay un retén policial. Colonia El Granjero.

7.30 de la tarde. Una mujer embarazada y un adolescente de 15 años están más cerca de la muerte que de la vida. Al parecer, tres jóvenes van a matar a dos. Pero al final acaban con seis: entre los que huían de pánico en una zona de mucho tráfico. Colonia Juárez Nuevo.

9.30 de la noche. Asesinan a un joven. En la Hidalgo.

10.00 de la noche. Otro. En la colonia El Granjero.

Y diez minutos más tarde...

Otro. Colonia Riveras del Bravo.

Son veinticuatro las personas que se convirtieron hoy* en cadáveres. Seis de ellas, mujeres. Lo que tienen en común todas ellas es la forma como acabaron: a balazos. Y el futuro inmediato: ningún detenido por sus vidas.

El Buitre se ha cambiado la camisa. A veces lleva una de repuesto en su viejo carro sin aire acondicionado, que

* Jueves 9 de septiembre de 2010.

se la reserva para estos días de más de quince asesinatos: en donde suda por el dolor ajeno más que por el trabajo constante.

No ha comido. Tampoco hoy ha podido reunirse con el hermano de uno de los asesinados que atendió: le llamó para devolverle 500 pesos (unos 41 dólares). La muerte constante le ha asaltado de nuevo en sus planes. Como a todos en Juaritos.

«He aprendido a valorar la vida. Me gusta ayudar a la gente, me nace prestar dinero si no completan* el servicio (fúnebre). Me ha tocado consolar y llorar junto a la persona... No tengo un corazón tan duro...».

* Pueden pagar.

Epílogo

Juárez en rojo

Al amanecer los rayos de sol que se deslizan entre las rejas y los alambres de seguridad de la ventana me llevan hacia un cielo de intenso azul. Y pienso que existe un futuro alejado de lo negro: hasta que los balazos comienzan y golpean mis sueños.

Cada vez la muerte está más cerca. No tengo que ir a buscarla: la escucho desde mi recámara. Mientras escribo estas líneas Ciudad Juárez sigue anclada en la sombra: resistiéndose a morir.

Las autoridades locales, estatales y el presidente de México Felipe Calderón, con su llamada guerra contra el narcotráfico, aseguran que el país va por buen camino y que los asesinatos no son de su responsabilidad.

Este poder gubernamental no tiene límites. Con su cinismo mortal, reclama que los periodistas no debemos informar que Juárez es la ciudad más peligrosa del mundo. Responde prometiendo proyectos en el aire cuando nada se puede garantizar sin seguridad y los únicos que están a salvo aquí son los muertos. Me imagino qué pueden sentir las miles de familias y los miles de niños huérfanos al escucharlos.

La desigualdad económica permite a los poderosos convertirse en más millonarios: en lugar de cambiar la estructura social y económica de un país tan inmensamente rico como México. Para algunos su responsabilidad social se reduce a crear fundaciones para calmar su conciencia (y sus impuestos).

El narcotráfico es un negocio (ilegal) que ofrece el trabajo que las autoridades no han sabido (o querido) crear, y que en países como Colombia y México producen masacres en un determinado momento político, como ahora en Juárez.

Más que los muertos, lo más duro es ver las miradas de los niños cuando sus padres son asesinados. En ellos veo el futuro de los que se quedan vivos con unas autoridades (mexicanas) que si no hacen nada, los convertirán en los sicarios que hoy cortan cabezas.

El dolor llega con la reflexión, al descubrir que el horror que me anunciaban desde hace catorce años ciudadanos conscientes (ya asesinados bajo la ley de la impunidad y la indiferencia) no sólo se ha superado, sino que ahora hay un nuevo ingrediente: el presidente Calderón con su guerra, dentro de la lucha del Cártel de Sinaloa por conseguir el negocio del Cártel de Juárez.

Hay voces que no se escuchan. Parece que lo conveniente es vivir dentro de un teatro del absurdo. Hasta que la realidad golpea con sus asesinatos. Y las noticias de que Juárez es la ciudad más peligrosa del mundo duelen más a las autoridades que los propios muertos.

Vivo en la ciudad que yo elegí en este momento de mi vida. En el lugar donde se dan los mayores rasgos de solidaridad mientras al ser humano se le arrebata la existencia, y el mundo sólo se sienta a esperar cuántos muertos habrá hoy en mi querida Juaritos: donde el azul feroz del cielo da paso a los ocres, naranjas y rojos al atardecer convirtiéndola en mágica: hasta que te matan.

Ciudad Juárez, diciembre de 2010

Mil gracias a:

Los que confiáis en mí y me contáis vuestras historias, con las que mi mente (y mi corazón) crecen.

Los que quedan tras los asesinatos impunes: más de diez mil niños huérfanos en Juárez de la llamada guerra contra el narcotráfico.

Los lectores de mi blog y Twitter que me acompañan en Juaritos desde diversas partes del mundo.

Mis admirados amigos y colegas de Ciudad Juárez, Amatlán, Austin, Harlingen, Manhattan, Harlem, Bronx, Miami, Perú, Lyon, Bruselas, Burdeos, París, Londres, Río de Janeiro, Panamá, Barcelona, Madrid, Pamplona, Ilarregui (Ultzama). Por el camino.

A mi querida Carmen García Gómez y su familia, por su culpabilidad en varias aventuras.

Lou, Jeanne, Charlotte (mis papás tejanos), Laurie y Meredith (mis hermanas *gringas*).

Belisa, Maite H. Mateo y Bernardo: mis ángeles.

A Oscar M., por demasiado... ¡órale!

Al pollo con mole de mi comadre chihuahuense Ana Cristina Enríquez, una tarde de domingo en Brooklyn.

A Pakita, mi súper mamá, porque su ejemplo me enseñó a luchar, sin ella saberlo. Y a Leticia: con profundo agradecimiento.

Y a los demás. Que sois muchos y fantásticos.

¡Disfrutad de este genial día! Por respeto a los que ya no pueden.